悩む力

姜尚中
Kang Sang-jung

a pilot of wisdom

目次

終章　老いて「最強」たれ　161

年表デザイン／今井秀之

序章　「いまを生きる」悩み

世界を引き裂くひき臼《うす》

「あおい夜空は星の海よー、人の心は悩みの海よー」。溜息をもらしながら、涙声で母（オモニ）が口ずさんでいた「アリラン」の歌詞の一節です。波乱に満ちた悩みの海のような母の一生は、八十年の歳月とともに終わりました。人の世の酷薄さにあれほどまでに悲嘆に暮れることのあった母でしたが、晩年は、悩みの海に漂ういくつもの珠玉のような記憶を拾い集め、その中で微睡《まどろ》んでいるようでした。

今にして思えば、母の抱えていた悩み、その苦悩は、海のように深く、広かったぶん、母は人として生きる価値を見出すことができたのかもしれません。結局、母は悩みの海に沈淪《ちんりん》しながらも、生きる意味を問いつづける営みを棄《す》てることはなかったのだと思います。

強制収容所に入れられた体験を持つことでも知られる精神医学者V・E・フランクルは、「Homo patiens（苦悩する人間）の、価値の序列は、Homo faber（道具人）のそれより高い」「苦悩する人間は、役に立つ人間よりも高いところにいる」と述べています。極限状態を生き抜いた彼のこの言葉を聞くたびに、私は母のことを思い起こすのです。悩みの海を抱えていたからこそ、生きる意味への意志がより萎《な》えることがなかったのだと思います。この意味で私の母は幸せだったのかもしれません。少なくとも、伝統的な慣習と信仰心を失わなかった母たちの世代には、悩みの海の夜空に輝く星がハッキリと見えたはずです。

だが、もはやそうした伝統や信仰心の残り香すらも消え失《う》せた時代には、悩みの海はただひたすら暗く、どこにも星が輝いているようには思えないかもしれません。悩みや苦悩は、意味のないことであり、価値などには一切関係のない、「厄災」以外の何ものでもないように思えるからです。

しかし、本当にそうでしょうか。「悩む人間」「苦悩する人間」はただ、運の悪い不幸な人間にすぎないのでしょうか。

本書では、誰にでも具わっている「悩む力」にこそ、生きる意味への意志が宿っていることを、文豪・夏目漱石と社会学者・マックス・ウェーバーを手がかりに考えてみたいと思います。

なぜ、漱石とウェーバーなのかは、これから次第に明らかになっていくはずですが、悩みや苦悩と言っても千差万別で、個々それぞれに違います。とは言っても、悩みや苦悩を集合的に見るならば、そこには時代や社会の環境が大きな影を落としているはずです。

母の場合で言えば、戦争や経済難、物資の困窮や差別などが、悩みの種になっていたと言えます。激しい混乱や価値の転倒が起き、生死の境をさ迷うような困難な出来事が母やその同世代の人たちを襲いました。そんな「極端な時代」が、母の人生と重なりあう二十世紀という時代でした。

それでは私たちの時代はどうでしょうか。

現代という時代の最大の特徴としてよく指摘されるのは、「グローバリゼーション」ということです。ここ十年ほどの情報通信技術の発達、とりわけインターネットをはじめとするデジタル技術の発達によって、政治も経済も思想も文化も娯楽も、あらゆるものが国境を越えて行きかうようになりました。

他方、グローバリゼーションと並ぶ現代の特徴は、「自由」の拡大ということです。いまでは誰でもインターネットなどを通じてたくさんの情報を得たり、何かに自由に参加したり、あるいは何かを享受したりすることが容易になりました。その結果、一見すると、自由がいたるところにころがっているように思えます。

しかし、自由の拡大と言われながら、それに見合うだけの幸福感を味わっているでしょうか。満ち足りた気分や安心感を味わっているでしょうか。

幸福度が飛躍的に高まっているという話は聞いたことがありませんし、存外、いつも余裕なく急《せ》き立てられて、人と人との関係もパサパサな殺伐とした味気ないものになりつつあるのではないでしょうか。

経済人類学者のカール・ポラニーは、共同体の牧歌的な結びつきを解体していく市場経済を、イギリスの詩人ウィリアム・ブレイクの言葉を借りて、「悪魔のひき臼」と呼びました。

ボーダーレスに広がる情報ネットワークと自由でグローバルな市場経済。誰もがその豊かさと利便性に与《あずか》り、可能性としては多くの夢が約束されているように見えます。

しかし、実際には新しい貧困が広がり、格差は目を覆いたくなるほどに拡大する一方です。

しかも、誰もが新しい情報技術とコミュニケーションを通じてつながっているように見えながら、人と人との関係は、岸辺に寄せては消えていく泡のようにはかないようにも見えます。少なくとも日本や韓国を見る限り、多くの人びとがかつてないほどの孤立感にさいなまれているのではないでしょうか。そうでなければ、これほどの自殺者数の増加はありえないはずです。

加えて、われわれにとってたいへんな重圧となっているのは、「変化」のスピードが猛烈に速いということです。

たとえば、戦後だけを考えても、経済のコンセプトも、思想やイズムも、テクノロジーも、まるで流行のようにめまぐるしく変わりました。「不動の価値」というものがほとんどないことに気づきます。これに即して、人間も変化することを求められます。いつまでも古い考え方にこだわっていたら取り残されてしまいます。言ってみれば、「生か、死か」ではなく「変化するか、死か」というところでしょう。

それでいて、人間というのは「不動の価値」を求めようとします。プロ野球の松井秀喜選手の本のタイトル『不動心』ではないですが、たとえば、愛や宗教。しかしそれとても、変化しないとは言いきれません。変化を求めながら、変化しないものをも求める。現代人は相反する欲求に精神を引き裂かれていると言えます。

二人の「炯眼《けいがん》の持ち主」

いまを生きるわれわれの孤独の苦しみ、変化に耐えなければいけない苦しみ。その元をたどっていくと、「脱亜入欧」のスローガンのもと、西洋の模倣を始めた明治という時代にたどり着きます。これを境に、日本には科学、合理的思考、個人主義といったものがいっせいになだれこみ、「近代の幕開け」となりました。広い意味では、グローバリゼーションもこのときが始まりです。

すなわち、現在のわれわれの苦悩の多くは、「近代」という時代とともにもたらされたのです。

そのとば口に立って、人間の行く末を見据えていた人がいます。それは、元号が明治に変わる前年の慶応三年（一八六七）に生まれた夏目漱石です。

漱石はやみくもに前進していく世の中をある距離感を持って見つめ、時代の本質と、そこに生きる人間の内面世界を描きました。

漱石の作品には『坊っちゃん』のようにユーモラスなものもありますが、明るい雰囲気を持っているものは意外に少なく、むしろグレー・トーンの作品が目立ちます。漱石の趣意は、文明というのは世に言われているようなすばらしいものではなく、文明が進むほどに人の孤独感が増し、救われがたくなっていく――というところにありました。作品に登場する人びとを見ると、描かれている時代こそ違いますが、驚くほどいまのわれわれに通じるものがあります。漱石の作品を読み直すたびに、その炯眼に感心します。

漱石は一般に「国民作家」とか「明治の文豪」とか言われますが、明治新国家の「青雲の志」のようなものを描いたわけではありません。その意味では、国民作家という形容はあまり当たらないのです。

私にとって、漱石は子供のころから大好きな作家でしたが、そのような眼の持ち主であることに気づいたのは、大学に入って、政治学を学ぶうえでマックス・ウェーバーを読むようになった後です。

二十世紀最大の社会学者と呼ばれるマックス・ウェーバーは、私が学生だった七〇年代の初め、「マルクスか、ウェーバーか」で議論が沸騰するほど熱い視線を集めていました。彼は社会学の中でも、とくに「世界宗教」にアプローチして、厖大な宗教社会学の著作を残しました。

その著作を読むうちに、私は彼の知の造詣《ぞうけい》の深さと広がりに惚《ほ》れこんでしまったのですが、そんなあるとき、友人の一人が私に「漱石とウェーバーは似ているね」と言ったのです。二人の結びつきはやや突飛な感じがして、当初、私は「変わったことを言うな」と思いました。が、よくよく考えてみると、たしかに通底するところがたくさんあります。

ウェーバーは西洋近代文明の根本原理を「合理化」に置き、それによって人間の社会が解体され、個人がむき出しになり、価値観や知のあり方が分化していく過程を解き明かしました。それは、漱石が描いている世界と同じく、文明が進むほどに、人間が救いがたく孤立していくことを示していたのです。

ウェーバーは漱石より三年早い一八六四年に生まれ、漱石の四年後に死んでおり、まったくの同時代人と言えます。遠く離れた日本とドイツに生きていた二人が、似たようなことを考えていた――。それに気づいたときのぞくぞくするような感じは、いまも忘れることができません。

時代への向きあい方も、二人はよく似ています。それは、「時代を引き受けてやろう」という覚悟のようなものです。時代は激流のように進んでいきます。その流れを止めることはできません。だから自分もその流れに乗っていく。しかし、ぎりぎり持ちこたえて、時代を見抜いてやろう――。二人の著作を読むと、そんな思いが伝わってきます。

私は漱石とウェーバーの二人を「対」のような形で愛しつづけてきたのですが、「近代」というものが人間の営みをどう変えたのかということを、ウェーバーから「社会学」という学問によって教わり、漱石から「文学」という表現によって教わったわけです。

戦争を挟んだ相似形

漱石やウェーバーが生きたのは十九世紀末から二十世紀にかけてであり、われわれは二十世紀末から二十一世紀にかけてを生きています。つまり、百年の開きを挟んだ「二つの世紀末」ということになりますが、私がいま改めて漱石とウェーバーに注目するのは、二つの世紀末がいろいろな意味で似通ってきているのではないかと思うからです。

たとえば、十九世紀末、長期不況と内乱状態に見舞われていたヨーロッパ諸国は、事態の打開を求めて盛んに他国へ進出しました。そして日本も、右へ倣《なら》えで満州（現在の中国東北部）などへ出ていきました。いわゆる「帝国主義」です。

帝国主義はその後、第二次世界大戦によってリセットされましたが、いま世界を見渡すと、国境を越えた「グローバルマネー」が世界を縦横無尽に「徘徊《はいかい》」し、その「暴走」に歯止めがかからない状態が続いています。

また、かつての資本主義は「国家のためにある」ものであり、必ずしも「国民のためにある」ものではありませんでした。人間の労働力も消耗品のようにみなされ、すべてが国家の統制下に置かれた時代がありました。

戦後、日本やドイツを含めた多くの国が悲惨な失敗の反省に立って、人間を消耗品として扱わないことに懸命になりました。「国のために国民がある」のではなく、「国民のために国がある」という方向に転換しようとしたのです。そのようにして何十年か努力が続けられたのですが、それも怪しくなりつつあります。

と言うのも、世の中を見まわしてみれば、ニートやフリーター、非正規雇用の人びとがあふれ、深刻な社会問題になっているからです。一定の年齢層の人びとをきっちりとトレーニングして、人材として洩《も》らさず活用していくようなシステムは、ますます機能不全に陥っているようです。多くの人びとがうち捨てられようとしているのです。

おそらくそうした状況と関係するのでしょう。うつやひきこもりとなって社会にうまく適応できない人が跡を絶ちません。百年前の日本でも「神経衰弱」という名の心の病が社会問題となりました。漱石の小説によく登場するのですが、それに類似したものを感じます。

社会現象にも、百年前と似たものが出てきているように思います。たとえば擬似宗教的な、いわゆる「スピリチュアル」の流行があります。十九世紀末のヨーロッパでは、「世紀末的」と形容される病的で危うい文化が流行しましたが、現在のインターネットや仮想空間を見ると、似たようなものを感じます。また、理解に苦しむ猟奇的な事件が起こったりするところも当時と似ているのではないでしょうか。

これらはほんの一例ですが、私は近代のとば口で発生した問題が、戦争という中間点で折り返して元に戻ってきているような気がするのです。

あるいはまた別の言い方をすれば、近代のとば口で発生した問題が未解決のまま残っていて、その後百年の間に進むところまで進んでしまったと言うこともできるかもしれません。

未解決の問題のヒントを探す

そのような意味で、漱石とウェーバーが百年前に書いたものを改めて見直すと、「いまを生きる」われわれの悩みへの手がかりになりそうなことにしばしば出くわします。

まずは、「個人」という大きな問題についてたくさんの手がかりがあります。たとえば、そもそも人が「個人」として生きるとはどういうことなのか、あるいは人はなぜ個人として生きねばならなくなったのか。

個人の苦しみの大本となる「自我」というものについても教えてくれます。個人に大きくからむ「自由」という問題についても考えさせてくれます。

資本主義の変容と、「マネー（金）」の問題についても注目すべきものがあります。そこから敷衍《ふえん》して、人が「働く」とはどういうことなのかといったことについても、目を見開かされるものがあります。

また、人間の「知性」とは本来どうあるべきで、いま、このような時代の中でわれわれは何を知るべきなのか、何を信じるべきなのかといったことに対するヒントもあります。そして、信じることによって、人は何を得ることができ、何を失うことになるのかについても考えさせてくれます。

それだけではありません。生きることの意味、人生の意味、死ぬことの意味、愛することの意味……。じつにさまざまな、そして普遍的な問いかけが、彼らの書き残したものの中にあるのです。だから、彼らが百年前に抱き、悩んだ問いを、いまもう一度考える意味は大いにあるのではないかと思います。

ちなみに、漱石やウェーバーのころ、こうした問いかけは「知識人の特権」のような悩みでした。しかし、いまやすべての人に情報や知識が開かれているのですから、悩みもより普遍化していると言えるかもしれません。さらに自由化や情報化、グローバリゼーションに伴う変化の中で、「個人」の痛みはもっと苛烈《かれつ》なものになっているはずです。

漱石とウェーバーは、「個人」の時代の始まりのとき、時代に乗りながらも、同時に流されず、それぞれの「悩む力」を振り絞って近代という時代が差し出した問題に向きあいました。彼らの半世紀に及ぶ生涯には、「苦悩する人間」のしるしが刻みこまれています。そんな彼らをヒントに、また、私自身の経験や考え方も交えながら、「悩む力」について考えてみたいと思います。

どのようにして悩みを乗り越えていくか、あるいは悩みながらどのように生きていくか、九つの大きなテーマをもとに考えてみましょう。

第一章　「私」とは何者か

「自己チュー」と「自我」

「私」とはいったい何者であるのか。唐突なようですが、この問いは、国籍や民族、パトリ(故郷)や国家をめぐる分裂や葛藤《かっとう》に悩んできた私のような者に常につきまとう問いかけでした。

思春期のころの私は、この問いから逃れ、もっと楽しい、面白いことがないかと、キョロキョロと外の世界ばかりに眼を向けていました。でも、どこからかいつも、「私」とはいったい何者なのか、と問いかける声が聞こえてくるのです。耳をふさいでも、まるで心の中から聞こえてくる声のように、その問いは私にまとわりついて離れませんでした。

「そんなことを考えて何の役に立つ。消耗するだけではないか。自分の人生にとって何の意味があるんだ」

こんな反問が頭をもたげ、そうした問いかけの声を打ち消すのに躍起でした。でもそうすればするほど、ますますその声が大きくなってくるようで、とうとうそれから逃れられないと観念するようになりました。二十歳のときでした。

父母の国、韓国を初めて訪れ、そこで見聞きしたり、考えぬいたことがキッカケになり、私が人生に対して問いかけると言うよりも、人生から私が問いかけられていると思うようになったのです。それは私にとって、大袈裟《おおげさ》に言えば「コペルニクス的な転回」でした。

もちろん、それで自我の桎梏《しっこく》から解放されたわけではないのですが。

私は、自分の出自という、自分の力では如何《いかん》ともしがたい「運命」に眼を向けることで、自分という存在そのものにかかわる実存的な問いに導かれていったわけです。そこから私は「自我」ということについて考えるようになりました。

ところで、「自我」とよく混同されるのは、「自己チュー」ということです。他人の気持ちや都合におかまいなく、自分の考えを押し通したりする人のことで、そういう人と一緒にいると、「自分のことしか考えていないのか」と疲れてしまいます。

先の「コペルニクス的な転回」を経験する以前の私は、「自己チュー」に凝り固まっていたのではないかと思います。一見するとナイーブな青年のように見えながら、じつは自分の拵《こしら》えた小さな城から一歩も外に出ず、のぞき穴から外の世界を窺《うかが》うように、すべての人間を疑ってかかり、ひたすら自分のことだけに熱を上げている、そんななかばナルシスト的な「自己チュー」だったのです。要するに、明けても暮れても自分のことだけしか頭になかったのです。

それでいて、屁理屈をこね、「自我」を発見していたつもりでいたのですから、始末に負えません。でも、「自我」と「自己チュー」は違います。

自我とは何かを説明するのはなかなか難しいのですが、平たく言えば、「私とは何か」を自分自身に問う意識で、「自己意識」と言ってもいいでしょう。

自我とどう向きあっていくかは厄介な問題で、私もずいぶん長く悩みましたし、いまでも「解決できた」と言いきる自信はありません。

自我が肥大化すると、がんじがらめになって容易にそこから抜け出せないことがあります。その病理的な肥大化は、相当深刻なところまできていて、「うつ」や「ひきこもり」といった心の病とも深くかかわっているようです。

そう言われても抽象的すぎてよくわからない、という人は、漱石の小説を読んでみればわかると思います。たぶん、「自分もこうなってしまう」とか、「私に似ている」と、共感できる人が多いと思います。漱石は自我の問題に徹底的にこだわりぬいて、生涯それだけを書きつづけたと言っても過言ではないのです。

漱石が描いたのは明治時代の人びとですが、いま読んでもまったく違和感がありません。漱石は現代人にも十分に通じることを考えていたのです。

ちなみに、面白いことに「自己チュー」と言われる人には、自我に悩んでいる人は少なく、「自己チュー」と言われない人のほうに、逆に、悩んでいる人が多いような気がします。「自己チュー」と言われる人は、人のことはあまり考えていませんが、「自我」について悩みがある人は、たいてい「他者」の問題にも悩んでいるからでしょう。

「社会の解体」と「自我の肥大」

「自我」の「発見」と言えば、すぐに思いつくのは、十七世紀のフランスの哲学者、ルネ・デカルトの「コギト・エルゴ・スム（我思う、ゆえに我あり）」という有名な言葉です。この命題を哲学の第一原理に据えて、明晰《めいせき》判明であることを真理の基準とする物心二元論の哲学を確立したことによって、デカルトは「近代哲学の祖」と言われるのです。

ただ、デカルトは、思惟を属性とする精神と、延長を属性とする物体とを峻別《しゅんべつ》し、近代の機械論的な自然観の基礎を築いたのですが、他方で、その後の哲学に大きな課題も残しました。つまり、デカルトの二元論的な世界像に立つ限り、心身の関係をどう説明したらいいのか、きわめて困難な問題が残されるのです。

さらにそれと関連して、「他者問題」が未解決のまま残されることになりました。つまり、自分の中に、自分を中心としてものごとを考える自我というものがあるとすれば、他者の中にも同じくものごとを考える自我があるわけで、自己と他者の関係をどのように根拠づけるのか、この問題がデカルト以後の重要なテーマとして残されたわけです。

自己と他者がそれぞれに自我として独立したままであれば、人間の社会はてんでんばらばらな「自我の群れ」ということになってしまいかねません。そして、おのおのが勝手気ままに自己を中心とする世界像を描いてしまったら、自己と他者の共存は成り立ちえなくなります。そのようなことから、「自分と他者とを結ぶ回路をどのように作れば、共通の世界像を形成できるか」ということが、哲学者たちの根本テーマになったのです。

この問題が哲学者だけでなく、多くの人を悩ませるようになったのは、十九世紀ごろからです。日本では、明治維新以降と言っていいでしょう。

その背景には、近代科学や合理主義の急速な進展があります。それ以前は「自我」という概念が存在しても、人と人とは、宗教、伝統や習慣、文化、地縁的血縁的結合などによって、自動的に社会の中でしっかりと結びあわされていました。ところが、科学と合理的思考によって、それらは「ナンセンス」として次々に剝《は》ぎとられていったのです。ウェーバーはこれを「脱魔術化（脱呪術化）」と呼んでいます。

その結果、「われわれ」だったものは一つ一つ切り離されて、「私」という単体になってしまいました。こうして、「個人の自由」をベースとした、いわゆる「個人主義」の時代が全盛になるわけです。

こうした時代では個別に切り離された自我は、みずからを確立しようとして、あるいは守ろうとしてどんどん肥大化していかざるをえません。それが「社会の解体」をもたらすことにもなりかねませんし、また「社会の解体」の危機が、自我の肥大化をもたらすという悪循環が続くことになります。

漱石は多くの小説で、過剰な自我を抱えて七転八倒する人びとを描きましたが、そこにはこうした背景があるのです。漱石の小説がときに哲学よりも哲学的な印象を与えるのはそのためです。

たとえば、『それから』もそうです。主人公の代助は強烈な自我のために他人と相容《あいい》れず、父親を軽蔑《けいべつ》し、親友だった平岡とも離反してしまいます。代助のこんな述懐があります。「平岡はとうとう自分と離れて仕舞った。逢うたんびに、遠くにいて応対する様な気がする。実を云うと、平岡ばかりではない。誰に逢っても左《そ》んな気がする。現代の社会は孤立した人間の集合体に過《す》ぎなかった。……文明は我等をして孤立せしむるものだと、代助は解釈した」

「先生」の孤独

漱石の小説はどれも、自我について多くのことを教えてくれるのですが、私がもっとも共感し、胸を打たれるのは『心』です。

「私」という主人公は、夏の鎌倉で「先生」という男性と出会い、親しくなります。ところが、先生は何か重大な秘密を持っているらしく、いま一歩のところで「私」に心を開いてくれません。それは先生の過去に根ざしていました。先生は学生のとき、親友のKと二人して下宿先のお嬢さんを好きになってしまい、お嬢さんを自分のものにしたいためにKを出しぬくようなことをしたのです。Kは自殺し、先生はお嬢さんと結婚しましたが、もうお嬢さんを虚心に愛することができません。先生は最後に「私」にこのことを手紙で告白し、それと同時に命を絶つ——という物語です。

先生は当初、Kは失恋ゆえに自殺したのだと思っていました。しかし、時間がたつにつれて、そうではなく、Kは唯一の親友だった自分との友情を失ったため、孤独に耐えきれずに自殺したのだと思いはじめます。それを悟ったとき、先生は心が凍てつくような絶望感に襲われます。

先生が言うこの言葉は、たいへん重い意味を持っています。

「自由と独立と己《おの》れとに充ちた現代に生れた我々は、其《その》犠牲としてみんな此《この》淋しみを味わなくてはならないでしょう」

『心』は、私の個人的な経験からも、思い入れの多い作品です。ちょっと横道にそれますが、その話をしてみます。

私は大学卒業後、自分の進路を決めることができず、大学院に残って長いモラトリアムの期間を過ごしました。それというのも、私は思春期以来ずっと自我の桎梏にとらわれてそこから抜け出すことができず、このころになっても、依然としてもがきつづけていたのです。

私は在日として生まれましたから、やはりアイデンティティの問題が大きくからんでいました。「私は何者なのか」「私は何を求めているのか」「何のために生きているのか」「私にとってこの世界は何なのか」「私は何から逃げようとしているのか」。そんな答えの出ない問いに縛られて、どうにもならない状態になっていたのです。

私の志していたのは政治学ですが、この学問はみずからの立脚点が定まらなければ、やはり見るべきものが見えてこないし、語るべきものも語れません。そのために私は足踏みの状態のまま三十歳近くまで悶々《もんもん》としていたのです。

そんなときに、私の恩師がドイツ留学を勧めてくれ、私は自分自身からの、そして日本からの脱出《エクソダス》のつもりで、海の向こうに旅立つことにしました。そのときに鞄《かばん》に入れていったのが、『心』でした。

曇天の下、暗い下宿に閉じこもって読んだ『心』は、胸にしみました。この物語には、私の個人史と似たところがあるわけではありませんし、直接的な浄化《カタルシス》になるわけでもありません。ハッピーエンドではありませんし、むしろ救いのない物語として読めてしまいます。しかし、先生の抱えている絶望的な孤独感、そして何かを求めてさまよっている「私」の姿の中に、深く考えさせられるものがあったのです。

題名も非常に象徴的ではないでしょうか。近代以前には、「心」というタイトルでは小説が書かれることはありえなかったと思います。その意味でも、『心』はまさに近代人の心の深淵を描き出した小説なのです。

「自分の城」が破滅を招く

私が『心』をドイツに持っていった最大の理由は、この小説が「人と人のつながり」というものについて、多くのことを語ってくれているからでした。「私」と先生のつながり、先生とKのつながり、先生とお嬢さんのつながり、「私」と田舎の親たちのつながり。当時の私は自我を持てあましながら、同時に他者とのつながり方についてもつかみかねていたのです。

これは、自我にとらわれている人誰にとっても、行く手に立ちふさがる壁だと思います。自我が肥大化していくほど、自分と他者との折りあいがつかなくなるのです。

自我というのは自尊心でもあり、エゴでもありますから、自分を主張したい、守りたい、あるいは否定されたくないという気持ちが強く起こります。しかし、他者のほうにも同じように自我があって、やはり、主張したい、守りたい、あるいは否定されたくないのです。そう考えると、手も足も出なくなってしまいます。

人によっては、「他者とのかかわりは表面的にしのぎ、本当の自分は隠しておく」といった方法が取れるかもしれません。しかし、それができずに完全籠城《ろうじょう》する人もいるでしょう。つっ走っていく自我を止められず、さりとて誰かに救いを求めることもできず、悲鳴を上げたくなっている人もいるのではないでしょうか。

こうした自我の問題は、百年前はいわゆる「知識人」特有の病とされたのですが、いまは誰にでも起こりうる万人の病と言っていいと思います。当時は「神経衰弱」と呼ばれ、漱石の小説中に「キーワード」のように出てきます。

漱石の「断簡（メモ）」の中にも、こんな言葉が見えています。

「Self-consciousness の結果は神経衰弱を生ず。神経衰弱は二十世紀の共有病なり」

漱石自身も何度も神経衰弱になり、さらに胃潰瘍《いかいよう》を引き起こし、一時危篤に陥っています。ウェーバーも重篤な状態になって、精神病院に入院したことがあると言われています。

では、肥大していく自我を止めたいとき、どうしたらいいのでしょうか。そのことを考えるとき、私がいつも思い出すのは、精神病理学者で哲学者のカール・ヤスパースが言ったことです。ヤスパースはウェーバーに私淑していました。その彼がこう言ったのです。

「自分の城」を築こうとする者は必ず破滅する——と。

これは私もそうだったのでよくわかるのですが、誰もが自分の城を頑強にして、塀も高くしていけば、自分というものが立てられると思うのではないでしょうか。守れると思ってしまうのではないでしょうか。あるいは強くなれるような気がするのではないでしょうか。しかし、それは誤解で、自分の城だけを作ろうとしても、自分は立てられないのです。

その理由を究極的に言えば、自我というものは他者との関係の中でしか成立しないからです。すなわち、人とのつながりの中でしか、「私」というものはありえないのです。

「相互承認」しか方法はない

ちなみに、私が自我というものにハッキリと目覚めたのは、十七歳のころだったと思います。もちろん、そのとき「今日、目が覚めた」という自覚があったわけではなく、かなり時間がたってから、後追い的にわかったことです。

野球をしていても、野原を走っていても、どこか昨日までの自分と違う。それは、自分という存在を外から眺める意識に目覚めたということでしょう。誰にでもそんな日があるのではないでしょうか。このとき私は、自分がどんな存在として生まれてきたのかを詮索《せんさく》するようになっていたのです。しかしそうすると、自分の人生は重いものにならざるをえないように思えて、暗い気持ちになってしまいました。

そして、「吃音《きつおん》」という状態に陥ってしまいました。母音で始まる言葉が出なくなり、朗読などをさせられると、立ち往生してしまい、途方に暮れてしまったのです。そのときの気分を、いまでもときどき思い出すことがあります。ちょうど水に潜って、水面が上のほうに見えているような感じです。水面が見えているのにどうしても浮かびあがっていけず、息が苦しくてしかたがない、そんな息の詰まる感じです。

私の両親は、子供に不自由な思いをさせまいと骨身を惜しまず働き、惜しみなく愛情を注いでくれました。ですから、それまでの私は何の疑問も感じることもなく、漱石の『坊っちゃん』のように元気すぎるほどのやんちゃ坊主でした。ところが、自我に目覚めてからは内省的で人見知りをする人間になってしまいました。

結局、私にとって何が耐えがたかったのかと言うと、自分が家族以外の誰からも承認されていないという事実だったのです。自分を守ってくれていた父母の懐から出て、自分を眺めてみたら、社会の誰からも承認されていなかった。私にとっては、それがたいへんな不条理だったのです。単なる思いこみだったのかもしれませんが、当時の私には、どうしてもそうとしか思えなかったのです。そして、それまで一心同体であった両親さえも、対象化して見るようになってしまいました。非常に殺伐とした気持ちでした。

この経験も踏まえて、私は、自我というものは他者との「相互承認」の産物だと言いたいのです。そして、もっと重要なことは、承認してもらうためには、自分を他者に対して投げ出す必要があるということです。

他者と相互に承認しあわない一方的な自我はありえないというのが、私のいまの実感です。もっと言えば、他者を排除した自我というものもありえないのです。

「まじめ」たれ

かく言う私も、ドイツに脱出して、即座に自分のアイデンティティや自我の問題に答えを出すことができたわけではありません。それからもしばらく「私は何者か」という堂々めぐりの問答を自分の中で繰り返し、その末にようやく社会に対して発言ができるようになったのです。われながら、スロースターターだと思います。

自分について考えることに疲れ、「どこかに逃げ道があるのではないか」と弱腰になることもありました。でもそれではダメで、やはり、悩み、苦しみながら考えつづけるしかないようです。

いま、こうした個人の心の問題を「脳」や「スピリチュアル」というもので解決しようとしたり、わざと鈍感になってみたり、周囲に心の壁を作ってしのごうとしたりする傾向があるようですが、それではやはり解決にならないのではないかと思います。

時代はすでに中途半端を許さないところまできています。だから、中途半端な深刻さも中途半端な楽観論も廃さなければいけません。そして、中途半端なところで悩むことをやめると、自我をうち立てることも、他者を受け入れることも、どちらもできなくなってしまうと思います。

他者との相互承認の中でしか自我は成立しないと私は言いましたが、では、他者とつながりたい、きちんと認めあいたいと思うとき、いったいどうしたらいいのでしょうか。私には「正解はこれだ」と言う力はありません。が、『心』の中で、漱石は一つ、とても大事なことを教えてくれています。

それは「まじめ」ということです。「まじめ」というのは、「中途半端」の対極にある言葉ではないでしょうか。

先生の秘密を知ろうとする「私」に、先生はこう尋ねます。

「『あなたは本当に真面目なんですか』と先生が念を押した。『私は過去の因果で、人を疑りつけている。だから実はあなたも疑っている。然《しか》し何《ど》うもあなた丈《だけ》は疑りたくない。あなたは疑るには余りに単純すぎる様だ。私は死ぬ前にたった一人で好《い》いから、他《ひと》を信用して死にたいと思っている。あなたは其たった一人になれますか。なって呉《く》れますか。あなたは腹の底から真面目ですか』」

いまでは「まじめ」という言葉はあまりいい意味で使われませんし、「まじめだね」と言われるとからかわれているような気分になります。でも、私はこの言葉が好きですし、とても漱石らしいと思います。すべてが表面的に浮動するような現代社会に楔《くさび》を打ちこむような潔さがあると思います。

まじめに悩み、まじめに他者と向かいあう。そこに何らかの突破口があるのではないでしょうか。とにかく自我の悩みの底を「まじめ」に掘って、掘って、掘り進んでいけば、その先にある、他者と出会える場所までたどり着けると思うのです。

この意味で、漱石が「まじめたれ」と言った理由を、いろいろな側面から考えてみてほしいと思います。別の言い方をすると、漱石の時代は、そのくらい、「自我」を問う意味が先鋭化していたとも言えるのです。

中途半端で投げてはいけないと思います。ましてや自我と自己チューをはき違えて、ただの「私」の世界を主張しているようでは、なおさらダメなのです。

第二章　世の中すべて「金」なのか

たかが金、されど金

現代社会の中で、お金のことで悩まない人はまずいないと思います。家庭内のトラブル、人間関係のトラブル、仕事のトラブル、犯罪に至るまで、深刻な問題には必ずと言っていいほどお金の問題がまとわりついています。

トラブルのもとになるだけでなく、トラブル解決の救世主になるのも、またお金だったりします。言ってみれば「たかが金、されど金」で、人間が生きていくうえで絶対についてまわるのが「お金」です。

そのように、誰にとってもけっして無縁ではいられないはずなのに、世の中には「表立って金の話をするのは下品である」といった空気が抜きがたくあります。そのせいか、経済小説以外の日本文学、とりわけ純文学の中で、お金が重要なモチーフの作品はそう多くはありません。あるいは、「お金は小説の素材になりにくい」という思いこみがあるのでしょうか。

ところが、漱石の場合は、お金が多くの小説のキーワードとなっていて、そこが他の作家と違うところです。

前章で触れた『心』もそうで、お金は人間関係を壊す根源のように描かれています。先生が人を信じられぬ厭世《えんせい》家になったのは、田舎の両親が残した遺産を叔父に横領されたことが原因です。小説の中で、「平生はみんな善人なんです、……それが、いざという間際に、急に悪人に変るんだから恐ろしいのです」という先生の発言に対して、「私」が「私の伺いたいのは、いざという間際という意味なんです」と聞き返す場面があるのですが、このときの先生の答えが、なかなか面白い。

「金さ君。金を見ると、どんな君子でもすぐ悪人になるのさ」

『それから』では、お金は代助がみずからの進退を決めざるをえなくなるカギとなっていますし、『明暗』などでも生活費の問題が夫婦関係のネックになっています。漱石の作品を読んでいると、「結局、すべて金なのか……」という気分にさせられるほどです。

そして、登場人物の中に必ずと言っていいほど「鼻持ちならない俗物の資産家」が出てくるのが、漱石文学の特徴と言えます。『吾輩は猫である』の金田さんはかなり戯画化されたキャラクターですが、『それから』の代助の父親や、『行人』の一郎の父親などは、思想的に許しがたい人種のように描かれています。金持ちが好人物として描かれていることはまずないと言っても過言ではありません。

「成りあがり」が時代を創る

しかし、それこそが、漱石の時代を読む批評眼でもあるのです。十九世紀末から二十世紀のとば口にかけて資本主義は質的に変容し、日本だけでなく世界中で露骨に本性をあらわしつつありました。漱石はその様相に目を凝らしていたのです。

同じころ、ドイツのウェーバーも資本主義の行方に熱い視線を注ぎ、「プロテスタンティズムの倫理と資本主義の精神」をはじめとする著作をものしました。

当時の日本とドイツの状況には少し似たところがあるので、そこから話を進めましょう。

このころ、日本とドイツのどちらもが、ある種の「後発国家」でした。日本は明治維新以降、欧化の道をひた走り、日露戦争以後、「自称」一等国になった新参者です。ドイツのほうは日本に較べれば先進国ですが、それでもヨーロッパの中では、一人勝ち状態のイギリスの後塵《こうじん》を拝しており、「追いつき追い越せ」と必死になっていました。

「国家が成りあがっていく」ということは、その過程で「国家の中に無数の成りあがりを生み出す」ことを意味します。一代で事業を興して立身出世をなし遂げるような、いわゆる新興のブルジョワジーの出現です。そういう人たちは、極度のハングリー精神でのしあがっていくだけに、ごりごりの拝金主義で固まっていることが少なくありません。しかし、そういう人たちが実質的に国家を興隆へと導いたわけですから、勢い、彼らの価値観が世の中を動かしていくような状況になります。これがレイトカマーの悲しいところです。

そして、何だかんだ言っても金の力は侮りがたく、古い権威や価値観をまるごとひっくり返してしまうほどのインパクトを持っています。

時代の転換を担った彼らの心の中には、「自分たちは新時代を創ったのだ」という自負があります。しかし、彼らがやったことは、見方を変えれば節操のない行為とも言えます。たとえば日本で言えば、昨日までちょんまげに裃《かみしも》姿でひれ伏して主君から禄をもらっていたのに、今日から断髪に洋服姿で「オレがオレが」的に自由競争に打って出る。そこに、なにがしかの自己嫌悪があるから、フロンティア精神という理屈で糊塗《こと》してみたり、あるいは「自分は成りあがりではなく、もともと上流階級である」というメッキをするために、あわてて社交界に仲間入りして華やかに交際してみたりするのです。

漱石が活躍していた明治三十〜四十年代は、まさにそうした新興のブルジョワジーが跋《ばっ》扈《こ》していた時代であり、だからこそ漱石は彼らをいけ好かない奴らだと忌み嫌い、小説に登場させたのです。もちろん、漱石は「金持ちはぜんぶ悪い」として描いたわけでもありません。

ウェーバーも、漱石と同じような考えから新興ブルジョワジーを嫌悪していたのですが、彼の場合は漱石より複雑でした。なぜなら、漱石はブルジョワの息子ではありませんでしたが、ウェーバーはまさにそれで、彼の父親は、十八世紀後半に事業を興して一財産を築いてブルジョアとなった一家の人間だったからです。

ウェーバーは父親のおかげで何不自由なく育ち、一流の教育を受けることができました。彼の学者としての成功も父親のおかげです。しかし、彼は時代を批評する者として、父親の成りあがり根性を心から疎ましく思っていました。

これは、働かずに金持ちの親に寄生《パラサイト》して生きている『それから』の代助と同じ状況であり、面白いですね。

ウェーバーは一時精神病院に入っていたのではないかと言われていますが、父親との確執と父親の突然の死が、彼の心に大きな影を落としていたようです。父親と対立しつつも、その父親の財力に依存しているというアンビヴァレントな感情も、『それから』の主人公、代助を髣髴《ほうふつ》とさせます。いずれにしても、お金というものに対して自分がどんなスタンスを取るべきか、ウェーバーも悩んだはずです。

末流意識という「あきらめ」

「世代間対立」という言葉があるように、同じ時代を生きていても、みなが同じ価値観を持っているわけではありません。たとえ親子でも、二十年、三十年の年齢の開きがあるため、考え方が相容れないことはよくあります。日本の場合で言うと、明治新国家の建設にゼロからかかわった世代と、すでに拡大路線を驀進《ばくしん》している中で生まれ育った世代とでは、その意識もかなり違ってこざるをえなかったはずです。

同じことは、戦前と戦後でも言えるはずです。焼け野原から戦後という新しい時代を創っていった世代と、その後の経済成長の中で生まれて育った世代とでは、その意識に相当の開きがあります。

時代をゼロから創っていった世代には、「オレたちが頑張ったから、この国は発展したのだ」という満足感のようなものがあります。社会に多少の矛盾が生じても、当事者であるだけにさほど疑問を感じません。これは、なにも政治家や事業家だけの話でなく、一般市民も同じことです。

しかし、すでにできあがってしまっている時代の中で生まれた者には、そのような充実感はありません。むしろ、世の中の矛盾ばかり目につき、それを創った世代に対して不満を感じます。時代を創造した人たちのような「何が何でも生きぬいてやる」といった前向きな気持ちはあまり生まれません。そして、「頑張っても何も変わらないさ」的に、どこか虚無的になりがちです。前者を「創始者意識」と呼ぶとすれば、後者のほうは「末流意識」とでも呼ぶことができるでしょうか。

漱石もまた、明治新国家の誕生にかかわった当事者ではなく、その後の時代を生きた人間でした。だから、漱石は「末流意識」を持って時代の中を生きる人びとを描いた、と言うことができると思います。

漱石の小説の主人公を見ると、世の中に積極的に打って出ようとしている野心家も、時代に対して夢や意欲を持っている人も見当たりません。多くは、金持ちの親にパラサイトしている若者、なかば隠者的に生きている知的趣味人《ディレッタント》、そこそこの資産があって働かずに済んでいる「高等遊民」、あるいは、何とか生きていけるレベルで働いている勤め人といった主人公たちです。

彼らに共通しているのは、みな時代に対してなにがしかの不満を持ち、不満を持ちながら、どこかあきらめているということです。そして、彼らはみな、世の中で幅を利かせている資本主義というものに疑問の眼を向けながら、同時にどこか達観したところがあります。つまり、「金次第の世の中というのは汚いものだ、いやなものだ」と思いながら、同時に「そうは言っても、時代の趨勢《すうせい》であり、やむをえない」とも思っているわけです。

「清貧」から生まれた資本主義

資本主義というのは、金に対する汚い欲望が原動力になって生まれたのだろうと思われがちですが、じつはそうでもありません。

いわゆる「清貧」の話がそれです。日本でも、豊田佐吉のように貧しい家庭に生まれた人が必死に努力して成功する創業者物語がいくらでもあります。ですから、「富の底には非常にストイックなものが存在する」というのも一面の事実です。

ウェーバーの「プロテスタンティズムの倫理と資本主義の精神」も、資本主義の起源が、吝嗇《りんしょく》の哲学ではなく、逆に禁欲的なエートスに遡《さかのぼ》ることを明らかにしたものです。

要点を言うと、修道院の中での修道士の禁欲的な生活のように、プロテスタント信者が私利私欲を離れて、規則正しく、一切の無駄なく、働く意味の詮索さえ忘れて社会の中で黙々と勤労に励み、結果として富が蓄積されても、それを享受するのではなく、ひたすら営利に再投資することでますます富が蓄積され、資本主義の大きな発展に寄与した——というものです。

そもそも近代の資本主義というものが誕生したとき、そこには美しい理想のようなものがありました。十八世紀の経済学者のアダム・スミスは、『国富論』の中で、何ぴとにも妨げられない自由な競争によってこそ、富が生まれ、豊かな社会が実現すると言いました。そしてどんなに競いあっても、人びとの中に道徳やモラルが存在する限り、いわゆる「神の見えざる手」が働いて、不平等や不均衡は生じないと期待したのです。

しかし、資本主義の行く先には、見えざる手は働きませんでした。現実には、手段を選ばぬ不公平な競争と、苛烈な富の偏りを生んでいくことになります。そして、経済的な発展が頭打ちになった国々は、さらなる展開を求めて国外へ出ていきました。これが二十世紀の世界戦争の元凶となった「帝国主義」です。そこには資本主義の「英雄時代」を支えていたような市民的な経済観念は消え失せていました。そこにあるのは、異様なほどに傲《ごう》慢《まん》で、魂を失ったような思考でした。この点をウェーバーは、「プロテスタンティズムの倫理と資本主義の精神」の末尾で次のように診断しています。

「こうした文化発展の最後に現われる『末人たち』》letzte Menschen《にとっては、次この言葉が真理となるのではなかろうか。『精神のない専門人、心情のない享楽人。この無のもの《ニヒツ》は、人間性のかつて達したことのない段階にまですでに登りつめた、と自惚れるだろう』」

letzte Menschen（末人）は、「最後の人びと」と訳されることもあり、なかなか含みのある言葉です。これは、ものの意味を考えるのをやめた人間の末路であり、それをウェーバーは「精神なき専門人、心情なき享楽人」とたとえたのです。

漱石が二十世紀初頭にイギリスに官費留学したのは有名ですが、ウェーバーもほぼ時を同じくしてアメリカを訪問しており、その「アメリカ体験」をもとに仕上げたのが「プロテスタンティズムの倫理と資本主義の精神」でした。

すでにヨーロッパは斜陽の「旧世界」と化しつつありましたが、アメリカはその「旧世界」から逃れた人びとによって、「明白な運命《マニフェスト・デステニー》」のもと、「新しいエルサレム」として建国された「新世界」でした。その隆々と台頭しつつある若々しい帝国の地での見聞をもとに、ウェーバーは資本主義が行きつくところまでも見通していたのです。

ニューヨークでは「我国の大アパートを十ほど積みかさねたような」摩天楼がひしめき

あうのを見、満員状態で行き交う電車の騒音を耳にします。シカゴでは街全体が「内臓の動きが外から見える一人の人間」のようにせわしなく動きつづけるさまを見ました。このとき彼はこう言ったそうです。「御覧、近代的な世界とはこんなものなんだよ」。

昔「帝国主義」、今「ウォールストリート」

お金というのはじつに不可解な性質を持っていて、「労働の報酬」のような意味を離れて「お金」として独立してしまうと、それ自体が目的になってしまいます。もともとは「お金のために働いていたわけではない」人びとも、次第に「お金のために働く」ようになり、次第にそこも離れて「お金のためにお金が回っていく」ようになり、果ては「お金が回れば回るほどお金が増えていく」ようになる。

これは漱石やウェーバーから百年後の私たちの話、すなわち「グローバルマネー」が国境を越えて世界中を飛び交っている現在の状況です。

その昔、帝国主義が跋扈していたころ、日本の冒険的な資本家たちや野心家たちは一山当てようと満州などへ渡っていきました。そのような人物が、漱石の小説にもちらほら出てきます。しかし、いまの冒険者はどこかへ出て行く必要はありません。いまグローバルマネーの冒険家たちは「ウォールストリート」にいながらにして巨利を得ているのです。

そうした金融資本を人格化したようなキャラクターが話題になりましたが、グローバルマネーの冒険家たちは、かつてのように植民地を必要としているわけではありません。むしろ、そんな特定の領土に拘泥する必要がないのです。国境を越えて、この地上のいたるところにＩＴ技術を駆使してグローバルマネーのネットワークを張りめぐらすことが、彼らに厖大な利潤をもたらすことになるのです。

しかし、ウェーバーの言う資本主義の概念からすると、そうした、お金を生み出すための資本主義は、モノやサービスの生産を中心とする産業主義から逸脱した「金融寄生的な資本主義」と言わざるをえません。ウェーバーはそれを、けっして近代の資本主義の「正統」とはみなしていませんでした。

しかし、いまではそれこそがもっとも「先進的な」資本主義のシステムとみなされています。

漱石は、資本主義がこれほど変質するかなり前の時代に生きていましたが、それでもお金が持つ「危うさ」を察知していて、ウェーバーと同じように深刻に見ていたと思います。

お金を生み出すためだけの資本主義の問題点は、マネーの冒険者たちだけでなく、「お金にかかわって生きているすべての人」の人間性をねじ曲げてしまう可能性があることです。だからこそ、漱石はしつこいほど「お金をめぐる人間の姿」を書いたのではないでしょうか。

たとえば、働かずに親にパラサイトしている『それから』の代助や、親からお金をせびっていい暮らしをしようとする『明暗』の津田のような人物が登場します。彼らのやっていることは、言わば、「贅沢《ぜいたく》慣れ」なのですが、それを悪いとも思っていないところが、すでに毒されていると言えば毒されています。彼らは親にパラサイトしているというより、ある意味、資本主義にパラサイトしているのです。

また、たいへん不愉快な方法で「たかり」をする人物も登場します。たとえば、『明暗』に出てくる小林などがそうです。彼はせちがらい世の中で食いつぶした人物ですが、なかなかどうして狡猾《こうかつ》で、津田への金のせびり方にはゾッとするほどいやらしいものがあります。しかし、小林もまた、それを悪いとも思っていません。

漱石の自伝に近いと言われている『道草』にも、主人公の健三にお金をせびる島田という老人が出てきます。彼は健三の幼少期の育ての親であり、「昔育ててやった貸しがあるのだから、自分がいま金をもらうのは当たり前だ」という言い分で、足しげくやってきます。

こうした「たかり」の理屈もまた、資本主義のあり方と無関係ではないでしょう。すなわち、「金はあるところにはある。だから持っている人からは取ってもよい」という論理です。島田のことがもとで、健三夫婦の仲はますます険悪になるのですが、健三が思わず洩らす言葉は、漱石の絶叫のようにも聞こえます。

「みんな金が欲しいのだ。そうして金より外には何にも欲しくないのだ」

金に悩む小市民

漱石は百年前の世の中でそんな人びとを実際に目にし、小説に描いたのだと思いますが、では、自身はどうだったのでしょう。

漱石は、『道草』の健三のように教師を地道に務め、その後朝日新聞社に入社して文筆活動をした人です。教師の時代はむろん富裕ではありませんでしたが、日本を代表する作家になった後も借家住まいをしていて、けっして金持ちではありませんでした。金満主義を憎悪していたくらいですから、つましい暮らしだったと思います。

ウェーバーも、もともと資産家だったとはいえ、仕事は大学教授であり、辞職した後は年金生活者になりました。二人とも、アントレプレナー（起業家）ではなく、言わば普通に給料で生活する「勤め人」でした。

そんな彼らの存外な手堅さを見るとき、私は、言葉はよくないけれども、「彼らもまた小市民だったのだな」と思うのです。そして、普通の市民として生きたからこそ、抗《あらが》いがたい力で進んでいく資本主義の姿をある距離感をもって眺めることができたし、「金と欲」の世界に対してどのようなモラルを持てばいいのかを探ることもできたような気がするのです。

彼らは、お金に、金融資本主義に警戒を怠りませんでした。しかし同時に、彼らもまた、そこその贅沢をしていたということです。じっさい、漱石は背広や着物の流行を気にしたり、口髭《くちひげ》の恰好《かっこう》や、写真を撮られる角度に拘泥したりする、けっこうな洒落者《しゃれ》でした。食べるものにもうるさかった。そのくらいはよしとしていたのです。

私自身も、贅沢をしたいという気持ちはありませんが、けちでもありません。空腹さえ満たせれば食べるものは何でもいいとは思いませんし、着られるものならボロでもいいとも思いません。趣味にお金を使いたいと思いますし、余裕があるなら積極的に使ってもいいとさえ思っています。かと言って、利殖に現《うつつ》を抜かすようなことには強い抵抗感があります。たぶん、多くの人が似たような感覚を持っているのではないでしょうか。

私には何のためらいもなく「倹約が美徳である」と言ってのける自信はありません。中野孝次さんの『清貧の思想』という本がありますが、現代においては、「清貧」から何かの文化が生まれるとも考えにくいでしょう。「貧しい」というコンセプトに何かの価値があると考える人もいないでしょう。『賢者の贈り物』のような美しい話はもう生まれないでしょうし、『一杯のかけそば』を読んでも、いまのわれわれはストレートには感動できないのです。

さらに、いくら寄生的なマネーゲームがいけないと言っても、われわれの中に、その恩恵を受けている人は少なからずいます。株、預貯金、保険、年金……、これらはすべてマネーゲームの所産であり、われわれはもはやそれと隔絶した世界で生きていけるわけでもありません。しかし、多くの人が、「金儲《かねもう》けのどこが悪い」とまでは言いたくないでしょう。

すると、結局は漱石たちと同じように、できる範囲でお金を稼ぎ、できる範囲でお金を使い、心を失わないためのモラルを探りつつ、資本の論理の上を滑っていくしかない——と言ったら、平凡すぎるでしょうか。

ただし、序章で述べたように、時の流れの中ですべての価値は「変化」しますが、「お金」だけは、「不変」の価値を持った一種の記号として、存在しつづけることは間違いありません。侮りがたきはお金です。

第三章　「知ってるつもり」じゃないか

「情報通」は知性か

「知ってるつもり!?」というタイトルのテレビ番組がありましたが、この表現を見るたびに、私は、いまの世の中で「知性」と呼ばれているものは、すべてこれ、すなわち「つもり」「そんな気がしているだけ」ではないかと思います。

「情報化社会」という言葉が頻繁に使われるようになったのは一九七〇年代ごろだったと思いますが、いま現実に存在している「情報化社会」は、当時言われていた「情報化社会」と同じものとは思えないほど極限まで進んでしまっています。

職場でも、学校でも、日常生活においても、情報が洪水のようにあふれていますし、聞いたことがない事柄に出会っても、ネットでちょっと検索すれば、瞬時にしてだいたいのことはわかってしまいます。

ですから、日常的にそうした状況にいるわれわれは、「もう、すべてを知ってしまった」「知らないことは何もない」と、過多な情報量にげっぷが出そうな気分になっているのです。

それと関係するのでしょうか、最近の人は「知ってる」「知らない」ということに妙に敏感になっているようです。「××知ってる？」と聞かれたとき、「知らない」と答えるのを過度に恥と考えます。じっさい、「知らない」と答えると、「えっ、そんなことも知らないの？」などと言われてしまいます。これは、情報の引き出しをよりたくさん持っていることを知性とはき違えていることのあらわれではないでしょうか。××を知らないから何だと言いたくなるのは、私だけではないはずです。

もちろん、「何でも知っている博学な人」はすばらしいと思います。けれども、私は本来的には、「物知り」「情報通」であることと、「知性」とは別物だと思います。「know」と「think」は違うのです。「information」と「intelligence」は同じではないのです。

たとえば、パソコンの操作が得意な小学生が、機械の苦手なお父さんに代わって旅行のプランを作ってあげる、としましょう。即座に交通手段と宿と目的地の情報を集めて、プリントアウトする。だからと言って、この小学生がお父さんより知的な人間とは言えないでしょう。それと同じようなことだと思うのです。

情報を扱う技術に長《た》けている――そうした知のあり方と関係するのでしょうか、私は情報技術に通じた若い人たちの中に、変に老けこんだイメージの人がいるように思えてなりません。ものごとを情熱的に探求していかないというか、虚心に好奇心を持たないというか、あるいは、最初から先行きを予想してやめてしまっていると言いましょうか。それもまた、ものごとの原因と結果のいくつかのパターン（こうすれば、こうなる）を「情報」として蓄えてしまっているゆえではないかという気がします。

情報の引き出しでも、みずからの血肉になっているような情報が入っている引き出しならよいのですが、服のポケットにたくさんの紙片を詰めこんでいるような知性——。これを、「知ってるつもり」なだけの知性と言ったら厳しすぎるでしょうか。

ゲーテの『ファウスト』の中に、「悪魔は年寄だ。だから年寄にならないと悪魔の言葉はわかりませんよ」という言葉が出てくるのですが、なかなか意味深長です。若者の浅知恵は、老人の成熟した知恵にはかなわないということでしょうか。

科学は何にも教えてくれない

人間の知性というのは、本来、学識、教養といった要素に加えて、協調性や道徳観といった要素を併せ持った総合的なものを指すのでしょう。しかし、本来そうあるべきだった人間の知性は、どんどん分割されていきました。それは科学技術の発達と密接に関係しています。分割されて、ある部分ばかりが肥大していった結果、現在のようになってしまったのです。

十九世紀末に、人間の知性の断片化が加速度的に進んでいく状況を意欲的に分析探求しようとしたのが、マックス・ウェーバーです。彼は文明が人間を一面的に合理化していく状況を主知化の問題としてとらえ、人間の調和ある総合的な知性の獲得の断念が、主知的合理化の「宿命」であると考えていました。彼はダンテの『神曲』の言葉を引いて、「すべての望みを捨てよ」と説いたほどです。

「職業としての学問（科学）」の中で、ウェーバーはこう言っています。

われわれはみな、自分たちは未開の社会よりはるかに進歩していて、アメリカの先住民などよりははるかに自分の生活についてよく知っていると思っている。しかし、それは間違いである。われわれはみな電車の乗り方を知っていて、何の疑問も持たずにそれに乗って目的地に行くけれども、車両がどのようなメカニズムで動いているのか知っている人などほとんどいない。しかし、未開の社会の人間は、自分たちが使っている道具について、われわれよりはるかに知悉《ちしっ》している。したがって、主知化や合理化は、われわれが生きるうえで自分の生活についての知識をふやしてくれているわけではないのだ——と。

そして、高度に科学が進んだ医学についても、こう言っています。

医者は手段をつくして患者の病気を治し、生命を維持することのみに努力を傾ける。たとえその患者が苦痛からの解放を望んでいても、患者の家族もそれを望んでいても、患者が治療代を払えない貧しい人であっても関係ない。すなわち、科学はその行為の究極的、本来的な意味について何も答えない——と。

ウェーバーは、十九世紀ロシアの文豪、トルストイに非常に注目していて、合理化の問題を考えるときにトルストイにたびたび言及しています。

そのトルストイの『人生論』の中にこんなエピソードが紹介されています。

あるところに水車小屋で粉ひきをしている男がいました。彼は自然の恵みの中で朝から晩まで一生懸命働いていたのですが、あるとき水車のメカニズムに興味を持ちます。そして、水車が引きこまれてきた川の水によって動いていると理解すると、今度は川の研究に熱中してしまい、気がついてみれば、本来の仕事である粉をひくことを忘れてしまっていた——というものです。

トルストイのテーゼは徹底的に「反科学」です。科学はわれわれが何をなすべきかということについて何も教えてくれないし、教えてくれないばかりか、人間の行為がもともと持っていた大切な意味をどんどん奪っていくと考えました。

船で運ばれるのも不幸、海に飛びこむのも不幸

漱石も彼らとまったく同じことを言っています。

「現代の文明は完全な人間を日に日に片輪者に打崩しつつ進むのだと評しても差支ないのであります、極の野蛮時代で人のお世話には全くならず、自分で身に纏うものを捜し出し、自分で井戸を掘って水を飲み、又自分で木の実か何かを拾って食って、不自由なく、不足なく、不足があるにしても苦しい顔もせずに我慢をして居れば、……生活上の知識を一切

自分に備えたる点に於《おい》て完全な人間と云わなければなりますまい」（講演『道楽と職業』）

だからと言って、漱石もウェーバーも、進んでいく時代の流れには抗えないと考えていました。ウェーバーの言葉を借りれば、「認識の木の実を食べた者は、もう後には戻れない」のです。

第二章で漱石のロンドン留学について少し述べましたが、漱石にとって留学生活はけっして愉快なものではなく、「先進国」イギリスの中に、日本が将来の目標とすべき「希望」のようなものはまったく見出せませんでした。それどころか、イギリス人ほどいやな国民はいないとすら思っていたほどです。

しかし、自分たちも遅からずそうならざるをえないことも十分に予想していました。だから、日本の欧化について、「現代日本の開化は皮相上滑りの開化である」けれども、「涙を呑んで上滑りに滑って行かなければならない」と言わざるをえなかったのです（講演『現代日本の開化』）。

漱石が奇妙な夢を十話にわたって書いた『夢十夜』の中に、そのあたりのことが象徴的にあらわされたものがあります。「第七夜」の、船に乗って運ばれていく男の話です。

その男はなぜか大きな客船に乗せられていて、自分がどこへ運ばれているのかわかりません。船は、船を追い越して前方に沈む太陽のあとを追うかのように進んでいくばかりです。そこで、船頭に行く先を聞いてみるのですが、答えてくれません。船に乗っているのはほとんど外国人です。

男は心細くもあり、またこのまま船に乗せられているのも意味がない気がして死のうと決め、海に飛びこむことにします。しかし、足が甲板を離れた瞬間、「よせばよかった」と思います。高い甲板から海面に達するまではスローモーションのようにかなりの時間があって、その間、男はどこへ行くかわからない船でもやっぱり乗っているほうがよかったと思います。そして、「無限の後悔と恐怖とを抱いて黒い波の方へ静かに落ちて行」くのです。

わけもわからないまま時代に流されるのはいやである、さりとて、それに逆らって旧時代にこだわりつづけるのはもっと愚かである、ということです。

唯脳論的世界

ここで、近代的な「知」というものについて、少し遡って見てみましょう。

第一章の「私」の発見と同じような説明になるのですが、それは、世界をとらえる主体が「考える我」に置かれてしまったあたりで発生してきます。

広義の人間の知性は、「真」「善」「美」の三つとかかわっているはずです。十八世紀のイマヌエル・カントのころまでは、この三つとかかわる理想的な「全人格的な知性」のイメージがまだ生きていました。

カントは『純粋理性批判』『実践理性批判』『判断力批判』という、いわゆる「三批判」の著作を世に出しますが、そこでは「何を知ることができるのか」「何をなすべきなのか」「何を好ましいと思うのか」が、ともかくも円環《ハーモニー》を描いていました。ところが、それらは科学や合理化の進展とともに分裂を始めていくのです。

人びとは科学の中に至高の客観性を見出し、その因果律によって世界をまとめていきました。それによって、かつて世界に意味を与えていた伝統や俗信、宗教や形而上《けいじじょう》学は、「非科学的」としてどんどん科学の世界から駆逐されていきました。

科学の因果律だけで自立した世界は、カントが考えたものとは明らかに違う世界です。カントは、人間の頭上に天空の法則があり、もう一つ、それに匹敵するすばらしく尊い世界が人間の内側にもあると言いました。前者は自然の法則であり、後者は人間の道徳律のようなものです。

しかし、時代はそれらの連関を壊して進みました。先ほどの医学や水車の例のように、科学が教えてくれることは、人間らしい価値観や道徳観念といったものとは無縁のところにあるのです。

このような流れの中で、十九世紀から二十世紀にかけて、多くの学者や思想家が人間の知性と人間社会の行方を必死に探りはじめました。当時のヨーロッパではニューサイエンスの実験のようなものが盛んに行われたのですが、たとえば、エドムント・フッサールの現象学などもそうです。『ヨーロッパ諸科学の危機と超越論的現象学』は、現象学こそ、科学をもう一度、人が何を信じたらいいのかという世界に引き戻すものだという、彼なりのたいへんな決意があらわれた試みでした。

しかし、ウェーバーはフッサールとは違って悲観的で、果てしない科学の進歩の中で、知性の専門分化、断片化が進み、人間がどう生きたらいいのか、どう行動したらいいのか、何を信じたらいいのか、といった切実な「意味問題」が、ますます非合理な決断の領域に押しこめられていくと予想しました。

ウェーバーが予想したのは、言ってみれば「唯脳論的世界」です。放縦で、人間中心で、脈絡のない情報が洪水のように満ちた世界。それは、自然の営みとは無関係に、自分勝手な人間の脳が恣意《しい》的に作り出す世界です。

まさにいまわれわれのまわりにある世界ではないでしょうか。たとえば、自分の部屋のパソコンで、遠い外国でいま起こっている事件の現場を見られるなら、物理的な距離や国境は意味がなくなりますし、二十四時間いつでもお金が下ろせて買い物ができるなら、朝昼晩の区別も無用になりかねません。また生命維持装置によっていつまでも人間を生かせるのであれば、死の意味もなくなってくるかもしれません。唯脳論的世界が現実になっているのです。

「ブリコラージュ」の可能性

このような中で、私たちはどのような知性のあり方を信じ、あるいは選びとっていったらいいのでしょうか。

私は、考え方としては二つの方向性があると思います。

一つは、『夢十夜』の船で運ばれていく男の話のように、われわれはもう後には戻れない、「何を知るべきなのか」「何をなすべきなのか」「何を好ましいと思うのか」といった事柄がハーモニーを奏でることなどありえないと受け入れたうえで、貪欲《どんよく》に知の最先端を走ってみることです。これは相当の「力業」ですし、「知ってるつもり」だけではすまない、決然とした覚悟が必要でしょう。

ちなみに、ウェーバーは、「知」というものが価値から切り離されて専門分化し、そのことで逆に個人の主観的な価値が客観的に根拠づけられなくなり、その結果、諸々の対立する価値が永遠にせめぎあうことを「神々の闘争」と呼びました。

彼は、そうなっていく時代の運命に耐えられない者は古い教会の温かい懐にでも戻ればいい、しかしそうすることで「知性」を生け贄《いにえ》にする犠牲は避けられないと言いました。ウェーバーは、そうした運命をぎりぎりのところで受け入れ、とことん悩みぬくことで、「知」の臨界点に到達しようとしました。

これに対して、私はもう一つの方向性を探ってみたいと思います。人類学者のレヴィ＝ストロースが言う「ブリコラージュ」的な知の可能性を探ってみることです。ブリコラージュとは「器用仕事」とも訳されますが、目前にあるありあわせのもので、必要な何かを生み出す作業のことです。私はそれを拡大解釈して、中世で言うクラフト的な熟練、あるいは身体感覚を通した知のあり方にまで押し広げてはどうかと考えています。

科学万能の流れの中で、迷信や宗教などは駆逐されていきましたが、それらは完全に消えたわけではなく、ニーチェ的に言うと「背面世界」となってこの世の片隅にちりばめられて残りました。その中に「土発的」な知（自然の移ろいの中に生きて、そこから発するような知）の伝統がささやかに息づいていました。

それらは一時絶滅寸前までいったのですが、いままた少しずつ見直されているような気がしています。

じつは、このことを考えるたびに、私は自分の母のことを思い出すのです。母は、言わば前近代的な宗教の伝統や習慣を守って生きていた人でした。四季の行事、歳時記的なこと、人の生き死に、成長、衰退への考え方など、そのありようはまるで旧暦の世界のようでしたが、驚くべきことに、それは循環を繰り返している自然の摂理とぴったり一致していました。ですから、人間が本当に知るべきことは何なのかを考えるとき、そこにもヒントがあるような気がしています。

たとえば、この時期の海に入ってアサリを獲ると、砂が少なくて身が肥えたものが多いとか、この時期に薬草を食べると身体にいいといった知恵です。こうした土発的な知も見直されていいのではないでしょうか。

私たちの社会は、いますべての境界が抜け落ちたような状態になっていて、そこに厖大な情報が漂っています。たしかに、人間の脳というのは際限がなく、放置しておくと限りなく広がって、得手勝手にボーダーレスな世界を作り出していきます。

しかし、現実の肉体や感覚には限界があります。だから、反対に、自分の世界を広げるのではなく、適度な形で限定していく。その場合でも、世界を閉じるのではなく、開きつつ、自分の身の丈に合わせてサイズを限定していく。そして、その世界にあるものについては、ほぼ知悉できているというような「知」のあり方——。

それは「反科学」ではありませんが、ある意味では「非科学」でもあります。が、そういうあり方があってもよいのではないでしょうか。

人は何を知るべきなのか、という問題は、どんな社会が望ましいかということともつながっています。いずれにしても、われわれの知性は何のためにあって、われわれはどんな社会を目指しているのかということを、考え直す必要があるのではないでしょうか。

第四章　「青春」は美しいか

恥ずかしい「青春」

誰もが、「年を取りたくない」と言います。「老けたね」と言われるとグサッときますが、「若いね」と言われると悪い気はしないのが世の常ではないでしょうか。どうも日本では「若い」ということに無上の価値があるらしく、それだけで美しいといった通念があるように思います。

しかし、「若い」によく似た「青春」のほうはどうでしょう。こちらは少し違っていて、たとえば「あの人、青春している」という言い方には少々嘲《あざけ》りのニュアンスが含まれていますし、「私、青春真っただ中なの」などと言おうものなら、変な目で見られかねません。

ある高名な社会学者が、出版社の対談の仕事をし、何という雑誌に載るのか尋ねたそうです。編集者が『青春と読書』です」と答えると、「そんな恥ずかしい名前の雑誌がまだあったの」と言って大ウケだったという話を聞いたことがあります。

そう言えば、二十年くらい前までは、テレビ番組でも歌謡曲でも「青春」という言葉を使ったものがかなりあったような気がしますが、いまはあまり見かけません。件《くだん》の社会学者は、「青春」という言葉を使うこと自体、何か気恥ずかしい気がしたのでしょう。私も学生に「いいね、青春だね」と言ったら、相手は何を言われているのかわからなくてポカンとしていたことがあります。この言葉は、すでに死語になりかけているのかもしれません。

しかしそれでも、私は青春という言葉へのこだわりを捨てることができません。青春というのは、ただ若さのことだけを指すのではありません。青春期だからこそ得られるものが、やはりあると思うのです。青春が恥ずかしいものと感じるのは、われわれがすでに何かを失ってしまっている証拠なのではないでしょうか。

三四郎と私

もし、青春というものが、走りまわって汗を流し、はじけるように笑い、肉体の若さを謳歌《おうか》するだけのものであるとしたら、私の青春はまったく違っていたと思います。第一章でもお話ししましたが、その時期の私は悩みの底に沈滞していて、答えの出ない問いにもがき苦しんでいたからです。「溌剌《はつらつ》」という形容からは程遠く、煩悶《はんもん》することばかりだったような気がします。

人生を四季にたとえると、「春」に当たるのが、青春時代ということでしょう。でも、じつは私はいまでも四季の中で春がいちばん苦手です。卒業式や入学式があるように、人間が何かを卒業し、次のステップへ進んでいく季節です。しかし、みなが先へ進んでいくのを横目に見ながら、立ち往生したまま動けない人もいます。つまり、春というのはある意味で残酷な季節であるとも言えます。

自分の青春を考えるとき、いつも懐かしく重ねて思うのは、漱石の『三四郎』です。三四郎は私と同じく熊本から上京した大学生で、帝都東京の喧騒のさなかに放り出されて、右往左往します。都会の華やかさに惹《ひ》かれながらも馴染《なじ》めず、美禰子《みねこ》という美しい女性に恋をしながらなす術《すべ》を知らず、恐れと不安と憧れの入り交じった状態で立ちすくんでいます。上京したてのころの私は三四郎にそっくりでした。

一般に、『三四郎』は青春小説と言われ、私も最初のうちはそう思って読んでいました。

しかし、いまは少し違うのではないかと思っています。軽妙な筆運びで書かれているので気づきにくいのですが、たとえば、登場人物を見ても青春小説の華やいだ雰囲気は感じられません。みずからの将来に青雲の志を持ったり、国家の発展のために積極的に参画していこうといった人間は出てきません。小説が書かれたのは、日本が日露戦争で勝利し、「一等国になった」と騒いでいた時代です。本来ならもう少し時代に対する希望のようなものがあらわれていてもよさそうなものですが、それがないのです。

第二章でも言いましたが、それは、漱石の「末流意識」のせいだと思います。『三四郎』の中には、『それから』の代助のようにニヒルに時代を批評する人物はいませんが、多かれ少なかれそれと同じような思いを抱いた人々が登場します。すなわち、「時代は不幸な方向に向かっている。その流れを変えることはできない。自分も所詮はこの中で生きていくしかない。そうは言っても、どうしたらいいのかわからない」といった思いです。私は、漱石文学の登場人物の中に、不満と不安のようなものを抱えて、何か非常に「さまよっている」イメージを感じるのです。

ちなみに、三四郎は美禰子から「ストレイ、シープ」という言葉を突然ささやかれますが、それは恋に奥手であるという意味だけではないと思います。

当時の私の中にも、まさに「末流意識」がありました。目の前にはめまぐるしく変転する七〇年代初めの時代相があり、その渦中で何かがおかしいと思い、世界に対する疑問が頭から離れず、また、その中で生きていかねばならない自分というものにも疑問を感じました。意味がわからないから不安になり、不安だからまた意味を求めてしまう。とにかく何かを求めないではいられない、というのが、当時の私だったと思います。

大学時代の私はウェーバーに夢中になり、四苦八苦しながら難解な著作と格闘していたのですが、それらの中に私の思いと通底するものを感じました。ウェーバー自身が『それから』の代助を地で行ったような人だったこともあるでしょうが、読みこんでいるうちに、生きづらい世界の中で人間はどう生きていくのかを、ウェーバーがもがきながら必死に問いかけているのが伝わってきました。私は彼の知への渇望のようなものに共感したのです。

ウェーバーも漱石も、その青春時代の生き様を見ると、マッチョ的な男らしさというよりも、答えの出ない問いに苦しみつづける「青白い苦悩」といったようなものを感じます。それで報われることはないとうすうすわかっている青春を、多少の空しさとともに生き、それでもどうしても意味を問わずにはいられない欲求に揺り動かされていた――。ちょっと抽象的ですが、「宙ぶらりんな青春」と言うのでしょうか。「実存的空虚さ」といったところです。そのことに、当時の私は「私だけではない、この人たちもそうなのだ」と、励まされるような思いを抱いたのです。

無垢《むく》なまでに意味を問う

答えのない問いに悩んでしまう。それは、結局、若いからそうなるのだと思います。達観した大人は、そのようなことは初めからしません。

ですから、私は青春とは、無垢なまでにものごとの意味を問うことだと思います。それが自分にとって役に立つものであろうとなかろうと、社会にとって益のあるものであろうとなかろうと、「知りたい」という、自分の内側から湧いてくる渇望のようなものに素直に従うことではないかと思うのです。

そこには、挫折《ざせつ》や悲劇の種がまかれていることもあります。未熟ゆえに疑問を処理することができなくて、足元をすくわれることもあります。危険なところに落ちこんでしまうこともあります。でも、私はそれが青春というものだと思うのです。

『三四郎』の中に一ヵ所、気になる場面があります。それは、三四郎が若い女性の投身自殺に遭遇し、轢断《れきだん》死体を見てしまうところです。話の本筋とはあまり関係なく、やや唐突に出てくるので、最初、私は「この場面はいらないのではないか」と感じました。しかし、後になって、「青春とは明るいばかりのものではなく、一皮むけば死と隣りあわせにある残酷なものなのだ」ということを漱石が言いたかったからではないかと思いはじめました。

青春というのは子供から大人へ変わっていく時期であり、険峻《けんしゅん》な谷間の上に置かれた丸太を「綱渡り」よろしく渡っていくようなものではないでしょうか。一歩間違えば谷底へ転落してしまう危うい時期です。人によっては危険であることにすら気づかず難なく渡りきってしまうのかもしれませんが、つい足元を見て、死の深淵を覗《のぞ》いてしまう人もいるでしょう。

私の場合はたまたま在日であったために、自分について、あるいは自分と社会の関係について否応《いやおう》なく考えさせられることになりましたが、とくに問題がない人でも、疑問や不安が無性に湧き起こってきて、考えさせられてしまう時期が必ずあると思います。

脱色されて乾いた青春

と言いつつ、その一方で、いま、そのような苦悩とは無縁の青春を送っている若い人がたくさんいることも確かです。「私」とか「自我」といったものについてあまり詮索したがらない人たちです。

それはある意味で賢い生き方でもあって、自我の暗がりを探ったりすると、わけのわからない魑魅魍魎《ちみもうりょう》があらわれてきそうで、それを避けているのでしょう。そういう人たちは、一見老成しているようにも見えます。が、本物の老成ではなく、底の浅い老成、すなわち気分的に老成しているだけだと思います。

彼らはありとあらゆる人間関係においてあっさりしていて、誰に対しても深入りせずに上手くしのいでいくやり方を通しています。友人関係においてもそうでしょうし、恋愛やセックスにおいてもそうかもしれません。

人間の自我の中には即物的な知の側面もありますが、野蛮《ブルータル》な情念のようなものもあり、それらもひっくるめて自我というものが形成されています。本来言うところの青春は、他者との間に狂おしいような関係性を求めようとするものです。しかし、いまは、そうしたむき出しの生々しいことは極力避けようとする人が多いように思えます。

それは良い悪いの問題ではないのですが、私は人間関係におけるある種のインポテンツではないかと見ています。序章でも言いましたが、かさかさしていて、乾いた青春ではないかと思うのです。

先日、韓国を訪問して、ソウル大学に行ったときにも、それを感じました。

私が目にしたのはいわゆるエリートの学生たちですが、「余計なことを考えている暇があったらスキルを身につけ、専門知識を身につけ、有為な情報をできるだけ獲得すべきだ。遊んでいる時間などない」という雰囲気で、アメリカナイズされたプログラムを必死にこなしているのです。TOEICが900を超えないと就職できないとかで、脇目もふらずに勉強している。おかげで、たしかに英語のレベルは非常に高いようですが、私は何か違和感を覚えました。

彼らの中には、まだ二十代なのに「もう年ですから」などと言う人もいて、私は自分の青春時代と何と違うのだろうと驚きました。

たしかに、そのような学生時代を過ごせば、一流企業に就職できて高給を取れるエリートになれるかもしれません。しかし、その代わりに、青春時代だからこそ心の内側から湧き出てくるひたむきなものを置き忘れていくことになるのではないでしょうか。その果てに、精気の抜けたひからびた老体だけを抱えて生きていくことになるかもしれません。

誰の人生の中にもあるはずの「青春」というものを知らずに終わる。あるいは青春という大切なものを、毎日一枚ずつ脱ぎ捨てていく。それは不幸なことではないでしょうか。そのようにして生きていって十年後に自分の人生を振り返ったら、そこには空漠としたものしか残っていないと思います。

青春は年齢ではない

私がいまも三四郎という青年を愛しつづけているのは、未熟だけれど、不器用だけれど、非常に純に何かを求めてさまよっているからです。

たとえば、都会の大学生になったものの、彼は講義を聞くだけの毎日に飽きたりないものを感じます。そんな彼に、友人の与次郎が「電車に乗るがいい」と勧めます。三四郎は与次郎につれられて電車を乗りつぎ、料理屋で酒を飲んだり、寄席で落語を聞いたりします。そして、与次郎に「どうだ」と聞かれ、「難有《ありがと》う、大いに物足りた」と答えます。もちろん、満ち足りるはずなどないのですが、ともかくそうするしかない。私も大学時代に似たようなことをした経験があるので、その気持ちはよくわかります。

私が大学に入り教養科目の自然科学概論の最初の授業に出たとき、こんなことがありました。出席を取った後、教授が「私はいま君たちの出席を取った。もう授業には出てこなくていい。一年間家にこもって考えてこい」と言ったのです。

これを思い出すたびに、私はちょっと愉快な気分になります。人生にはそういう時間があってもいいのではないでしょうか。本を読むのもいいし、一人で悶々と悩むのもいい。それはかなり意味があることなのではないでしょうか。

自分が生きている意味を考えたり、人間とは何かを考えたり、人とつながる方法を本気で考えたり、自分と世界の関係を考えてみたりする。実務的な問題解決を第一とし、万事を淡白にやりすごしている人は、「そんなことをマジでやるのは馬鹿馬鹿しい。時間の無駄だ。それこそ意味がない」と言うでしょう。しかし、そんなふうに生きていたら、たぶん、最終的にはもっと大きな孤独を抱えることになると思います。

他人とは浅く無難につながり、できるだけリスクを抱えこまないようにする、世の中で起きていることにはあまりとらわれず、何事にもこだわりのないように行動する、そんな「要領のいい」若さは、情念のようなものがあらかじめ切り落とされた、あるいは最初から脱色されている青春ではないでしょうか。

そして、脱色されているぶんだけ、その裏返しとして、ふいに妙に凶暴なものや醜いもの、過度にエロチックなものが逆噴射することになりかねません。最近頻繁に起こる深刻な事件や、ネット上の仮想空間を眺めながら、私はしきりにそう思うのです。

そしてもう一つ、私が青春に関して最近感じていることがあります。それは、「青春というのは年齢ではないのではないか」ということです。

私は若いころから悩み多い人間でしたが、中年になっても変わらず、ことあるごとに立ち止まっては考えこんできました。

だからでしょうか、私は人から「若い」と言われることが多いのです。同窓会などに行くと、必ず同級生がそう言いますし、母親からも「鉄男は若かね」とよく言われました。それは、見た目の話ではなく、おそらく、青春のときの要素をいまだに持っているからでしょう。「老成」していないからでしょう。幼稚ということでもあるのですが、私はそれでいいじゃないかとみずからを慰めています。

人間が「成長する」ということは「老成する」ことだと思いますが、その場合、極端に言うと二つの形があると思います。ぎこちない表現ですが、「表層的に老成する」か、「青春的に老成する」か、そのどちらかです。

漱石とウェーバーは言うまでもなく、後者です。彼らほど優れた人でも、一生「青春の蹉跌《さてつ》」みたいなものを繰り返していたような気がします。ですから、彼らも青春的に老成していたと言えるのではないでしょうか。

私は青春のころから自分への問いかけを続けてきて、「結局、解は見つからない」とわかりました。と言うより、「解は見つからないけれども、自分が行けるところまで行くしかないのだ」という解が見つかりました。そして、気が楽になりました。何が何だかわからなくても、行けるところまで行くしかない。いまも相変わらずそう思っています。

氷の上を滑るようにものごとの表面を滑っていたら、結局、豊かなものは何も得られないと思います。青春は挫折があるからいいのだし、失敗があるからいいのです。

年齢を重ねても、どこかで青春の香を忘れたくないですね。

しかし　われらの手遅れの美女神たちの発明も
この病弱の種族をして　深い敬慕を
青春に　捧げる邪魔にはならないだろう、
——姿は素朴、額はやさしく、眼は水の
流れるように　透明で　また清らかで、
大空の青さの如く　小鳥の如く　花の如く
無関心でありながら、全てのものに　薫と歌と
快い熱とを灑《そそ》ぐ　神聖な青春に。

（ボオドレール「人間の裸体時代の回想を……」）

言いようのない倦怠《けんたい》と突きあげるような情念に引き裂かれ、進むことも退くこともできない青春の無残を持てあましていたころ、独り下宿の暗がりの中で何度も口ずさんでいた詩の一節です。いまでも、ときおり口ずさむことがあります。

第五章　「信じる者」は救われるか

「スピリチュアル」百出

デジタルとサイエンス万能の時代となって、非科学的なものはすべて駆逐されてしまったように見えながら、怪しいものもかなり横行している、というのが現在です。

前世、来世、チャネリング、臨死体験、オカルト的なもの……。世の中を注意して見ると、新興宗教も含めて「スピリチュアル」と言われるもの、あるいはそれに類するものが百出しているのに気づきます。ただの遊びとして面白がっている人もいるでしょうが、中には真剣に身を預けている人も少なくないでしょう。

こうした状況を、くだらぬ世迷いごととして嫌悪する向きもあります。しかし、私はそうは思いません。「時代の病理」というあいまいな言葉で片付けてしまうことにも抵抗を感じます。というのも、多くの人がスピリチュアルに魅《ひ》かれるということは——それによりかかる度合はともかくとして——、いまの人びとの「心」がかなり抜き差しならないところまできているせいではないかという気がするからです。

昔から「信じる者は救われる」と言われます。何を信じるか、何を信じたらいいのか、というのは永遠の問いです。そして、いまを生きるわれわれの心の問題の多くは、「何も信じられない」というところに発しているのではないかとも思います。

「信じる」という行為は、人にとってはきわめて重要なことで、それは、「ものごとの意味を問う」という近代的な問題と密接に関係しているのです。

宗教は「制度」である

近代以前の世界には、ヨーロッパでもアジアでも「宗教」というものが厳然と存在し、人はその中で生きていました。むろん、現代の私たちも、人が死ねば葬式をやりますし、お盆やお彼岸には墓参りもします。そういう宗教はいまも依然としてありますが、かつての宗教はそれとはまったく違うものでした。

「信教の自由」という言葉があるように、現在の宗教は個人が自由に選びとれるものになりましたが、かつての宗教は、人びとが生きている世界そのもの、生活そのもの、もっと言えば、人びとの人生と一体化したものでした。

信仰を意味する「レリージョン（religion）」の語源はラテン語の「レリジオ（religio）」で、制度化された宗教というニュアンスがあります。つまり、宗教というのは「個人が信じるもの」ではなく、「個人が属している共同体が信じているもの」だったのです。

共同体の生き方そのものですから、そこに生きる人にとっては疑問の余地のない説得力を持っています。ゆえに、「私は何を信じたらいいのか」という問い自体が生まれてきません。これは非常に幸せな状態だったと言えます。

なぜ幸せかと言うと、人生の中で遭遇する出来事に対して、いちいち疑問を感じたり、自分で意味を探し出したりする必要がないからです。たとえば、私はなぜ生まれてきたのか、私はなぜ不幸なのか、なぜ病気になったのか、なぜ人を敬わねばならないのか、なぜ働かねばならないのか、死とは何なのか……。こうしたことに対して、自分のまわりの世界のほうが、あらかじめ答えを用意してくれていたのです。意味を自動的に供給してくれていたのです。言ってみれば、母親の子宮の中で被膜に守られ、栄養をもらって生きている胎児のようなものです。

したがって、かつての人びとは、「私の人生はいったい何だったのか」といった飢餓感《きが》をあまり感じることなく、「何かたらふく食べたな」というある程度の満足感のうちに、一生を終えることができました。

いまわれわれは「当時の人は迷信の中に生きていた」などと言いますし、ときには「個人の自由が縛られていて不幸だった」とも言います。が、それは後知恵であって、当時の人びとはけっして不幸ではなかったのではないでしょうか。

人は「自由」から逃げたがる

これを逆に言えば、近代以前は、人が何を信じ、ものごとの意味をどう獲得するかという問題は、「信仰」によって覆い隠されていたとも言えます。そして、信仰の覆いがはずされ、「個人」にすべての判断が託されてしまった近代以降、解決しがたい苦しみが始まったと言えます。

ウェーバーが取り組んだ「宗教社会学」は、キリスト教だけでなく、ヒンドゥー教や仏教など、世界宗教を社会学的に解明し、信仰によって覆い隠されていたものが一枚ずつ皮をはがされるようにむき出しになっていく過程を追究したものです。

宗教などを抜きにして、自分がやっていること、やろうとしていることの意味を自分で考えなさい——。これは非常にきつい要求です。何かを選択しようとするたびに、自我と向きあわねばならず、その都度、自分の無知や愚かさ、醜さ、ずるさ、弱さといったものを見せつけられることになります。その点では、逆説的に聞こえるかもしれませんが、「現代人は心を失っている」という言い方は間違いで、前近代のほうがよほど心を失っていたのです。

これは人にとってはたいへんな負担ですから、当然、耐えられない人が出てきます。そこで、心のよすがとして、やはり何らかの宗教が必要とされる、ということになるわけです。

十九世紀末、ミュンヘンを中心とする南ドイツでは、瞑想《めいそう》、チャネリング、臨死体験、死者との対話、テレパシーなど、さまざまな神秘体験をすることが流行しました。じつは、現在のスピリチュアルの原型はこのときまでに出つくしていたのです。それは怪しげな流行だったわけではなく、その背景には、「みなが不安で、頼るべき何かを求めている」という、れっきとした理由があったのです。

ところが、ここに不幸が立ちふさがります。一つは、世界は科学と合理主義の洗礼を受けて「脱魔術化」された後ですから、どんな宗教も、近代以前の「宗教」に比べれば「擬似宗教」にならざるをえないということです。二つ目は、以前のように虚心に信じることができないことです。近代人はウェーバーが言うところの「認識の木の実を食べてしまった」後だからです。

では、どうしたらいいのでしょうか。多少のことには目をつぶって「えいや」で飛びこむか、うすうすインチキとわかりながら信じたことにするか——と、ここでまた人の心が引き裂かれていきます。

信仰が生きていた時代のほうが幸せだったと先ほど言ったのはこの点においてです。「何をするのも、何を信じるのも自由」というのはつらいものです。だだっ広い野原に一人ぽつんと立たされると、人はどこに行っていいかわからなくなります。迷子になりそうな不安に襲われるでしょう。それと同じことだと思います。

エーリッヒ・フロムは、『自由からの逃走』において、一九二〇年代以降、ドイツが個人主義から急速に極端なファシズム（全体主義）へと移行してしまったことを、「自由」という観点から説きました。一般に、人は自由に憧れると思われていますが、案外そうでもありません。自由から逃げて、「絶対的なもの」に属してしまいたくなることもあるのです。

「一人一宗教」「自分が教祖」

ウェーバーや漱石のころにあらわになった「個人」の問題は、その後ますます大きくなって、いま、そろそろ究極の状態に達しつつあるような気がします。マスコミでも「個人」がキーワードになっていて、「個人の時代」「個人の自由」「個人情報」と、たいへんな個人ばやりです。

それに従って、人びとの心も相当危ういところまできている気がします。ばらばらに切り離された個人個人が、情報の洪水と巨大化したメディアにさらされ、何を信じたらいいのかわからない、何も信じるものがない、と無機的な気分になっているのではないでしょうか。

だからこそ、その虚無感を無意識のうちにも満たすものとして、擬似宗教であるスピリチュアルが魅力的に映っているのだろうと思います。知的情報も現実的なノウハウももうんざり、知らないことはもうない、という気持ちがあるから、それとはまったく異質の「謎《ミステリー》」の世界に逃げ出したくなっているのでしょう。

ただ、いまのわれわれはそこに逃げっぱなしになったり、身を預けっぱなしにしたりできるほど無邪気でもありません。だからこそ、ウォークマンかｉＰｏｄのように、自分の都合にあわせて着脱可能な「プチ宗教」として利用する状況になっている——と、言ったらいいでしょうか。

そうは言っても、人がそれによって何らかの答えや満足感を得ているなら、私はそれでいいと思います。私自身は、スピリチュアルも宗教もどきも否定はしたくありません。

要は、「それが、その人にとって信ずるに足るものであるかどうか」ということが重要なのです。そして、再び出発点に戻っていくようですが、それを信じるか信じないかというのも、個人の自由なのです。

ですから、究極的には、「信じる」ということは、「何かを信じる」ということではなく、「自分を信じる」ということになると思います。

言うなれば、「一人一宗教」「自分が教祖」なのです。

確信するまで悩むしかない

人生とは、自分がどうすべきなのか選択せざるをえない瞬間の集積であり、それを乗り越えていくためには、何かを信じて答えを見つけなければなりません。生身の人間ですから、どうしていいかわからなくて、たじろぐこともあるでしょう。たとえば、誰かを愛したとき、どんな関係を選びとるのか。相手に対する気持ちがわからなくなったとき、どうするのか。子供を産むのか産まないのか。苦しい経験をしたとき、どう乗り越えるのか。治らない病気になったとき、死とどう向きあうのか。

意識していようといまいと、人は信ずるところのものから、ものごとの意味を供給されます。意味をつかめていないと、人は生きていけません。

そのための方法はいくつかあると思います。擬似宗教に拠った生き方をする方法もあるでしょう。時に応じ、場合に応じ、何かに身を預けて危機を切りぬけていく方法もあるでしょう。要は、そこから与えられた答えに納得して生きていけるのなら、それでいいのです。あるいは、最初から何も考えず、滑っていくことに妥協できるなら、それも一つの方法かもしれません。

しかし、そのどれにも納得できないなら、何ものにも頼らずに、ウェーバーや漱石のように、自分の知性だけを信じて、自分自身と徹底抗戦しながら生きていくしかありません。これは相当苦しい方法で、極端に言えば、頭上に刃をぶら下げて、いつ脳天につきささるかわからない状態を続けていくようなものです。気が狂いそうになることもあるかもしれません。

そして、私が彼らにもっとも尊敬の念を感じるのは、この部分においてなのです。彼らは「自我」と「何を信じるか」という近代以降の難問に、独力で立ち向かいつづけたと思うからです。

ウェーバーはみずからのことを「宗教的音痴」と自嘲《じちょう》気味に語っていましたが、まるで神なき時代の信仰者のように、自分の知性を信じて絶対に譲らない人でした。

漱石も同じです。たとえば『行人』などがまさにそうで、主人公の一郎は、過剰な自意識ゆえに、妻を信じられず、家族とも友人とも打ち解けあえずに七転八倒しますが、その苦しみを何にも託すことができず、さらに苦悩します。その姿は漱石自身を髣髴とさせるものがあります。

また、『門』は「仏の教えを信じて救われたい」と切望して宗教を頼ったものの、結局信じることができずに市井に引き返す知識人の物語です。主人公の宗助が鎌倉の庵室を去る場面は、悲しみの余韻のようなものを感じさせます。

「彼は平生自分の分別を便《たよ》に生きて来た。其分別が今は彼に祟ったのを口惜く思った。そうして始《はじめ》から取捨も商量も容れない愚なものの一徹一図を羨んだ。もしくは信念に篤い善男善女の、知慧も忘れ思議も浮ばぬ精進の程度を崇高と仰いだ。彼自身は長く門外に佇立《たたず》むべき運命をもって生れて来たものらしかった。……彼は門を通る人ではなかった。又門を通らないで済む人でもなかった。要するに、彼は門の下に立ち竦《すく》んで、日の暮れるのを待つべき不幸な人であった」

ウェーバーも漱石も神経を失調しがちでしたが、それもうなずける気がします。彼らの著作を見ていると、その一字一字が血のしたたるような苦行の痕跡なのではないかと感じます。たいへん深遠だと思いますし、それをやめなかった彼らのまじめさと精神力に打たれます。

そして、かく言う私も、自分を信じるしかない、「一人一宗教」的に自分の知性を信じるしかないと思っています。

自分でこれだと確信できるものが得られるまで悩みつづける。あるいは、それしか方法はないということを信じる。それは「不可知論だ」と言う人もいるでしょう。でも、中途でやめてしまったら、それこそ何も信じられなくなるのではないかと思います。

「信じる者は救われる」というのは、究極的には、そういう意味なのではないでしょうか。何か超越的な存在に恃《たの》むという他力本願のことではない、と思います。

第六章　何のために「働く」のか

金があったら働かないか

「食べるために働く」という言葉があります。人が生存していくには、やはりお金がかかるのであり、お金を得るためには、やはり働かなければなりません。いまはさらに「働き甲斐《がい》」や「夢の実現」などが働くことの大きなファクターになっていますから、仕事があって、それが自分のやりたいことと一致していれば、言うことはないわけです。

でも、現実にはなかなかそうもいかなくて、目の前にあるのは希望とはまったく違うものだけれども、転職するのもたいへんだから、いやいや会社に通っているという人も多いでしょう。子供がいる人などはなおさら自分勝手もできず、毎日が我慢の連続かもしれません。ときには「お金さえあったら好きなことができるのに」「誰かオレを養ってくれないかな」という気持ちになることもあるのではないでしょうか。

ときどき「もし宝くじで三億円が当たったら、仕事をやめて遊んで暮らす」という言葉を聞くことがあります。たしかに、お金さえあれば働かなくていいような気がします。しかし——と、そこで私は考えるのです。もしお金があったら、人は本当に働くのをやめるでしょうか。案外、そうでもないのではないでしょうか。

こんな話を聞いたことがあります。かなりの資産家の息子さんがいて、突然父親が亡くなったため、一生食べていくのに困らない遺産が入りました。おかげで、その方は四十歳近くまで、仕事ではない学問の研究をして暮らしてきました。うらやましい限りの境遇です。ところが、その方はずっとコンプレックスの塊だったというのです。

それは、「自分は一人前ではない」という意識です。資産のあるなしにかかわらず、「働いていない」ということが、想像以上にその人の心に重圧をかけたのです。

これはある意味、子供を持つ専業主婦が、「誰それさんの奥さん」「誰それちゃんのお母さん」という呼び方で呼ばれるのがいやだ、というのに似ているかもしれません。もちろん、専業主婦は家庭内の仕事をしているので、遊んでいるわけではないのですが、外で働いている人と違い、自分の氏名を呼ばれないため、やはり「一人前ではない」ような気分になるのでしょう。

「人はなぜ働くのか」というのは、簡単なようでいて、意外に深遠な問いなのです。

金があるから働かない

少々迂遠《うえん》な展開になりますが、これとは反対に「食べられているから、働く必要はない」という人の例からお話ししましょう。漱石の『それから』の代助です。

主人公の代助はブルジョワの事業家の息子で、最高の教育を受け、優秀な頭脳を持っているにもかかわらず、三十歳近くになっても親にパラサイトして暮らしています。代助の親は「働いてこそ一人前なのだから、何でもいいから仕事に就け」と言うのですが、代助は聞きません。なぜなら、彼の考えによれば「生活の為《た》めの労力」は卑しいものであり、働くなら「生活以上の働《はたらき》」でなければ価値がないからです。「神聖な労力は、みんな麵麭《パン》を離れている」というのが彼の主張です。

それなら、頑張って芸術家か何かになってパンを離れた仕事をしてみればよさそうなものですが、自分一人くらい働かなくても家は困らないことがわかっているので、上手にたかっているのです。

彼は洋書を読み、高尚な思索にふけり、唐物屋で高価な香水を買い、百合の花を飾って香りを楽しむナルシスト的生活を送ります。頭を低くしてつつましく暮らすのならいざ知らず、逆に贅沢をする。高級なものを買うことによって、自分が「働かなくていい階級」であることを無意識のうちに誇示しているのです。経済学者のソースティン・ヴェブレンの『有閑階級の理論』が言うところの「衒示《げんじ》的消費」というやつです。

ところが、友人の妻の三千代を愛してしまったために、代助は親の逆鱗《げきりん》に触れ、ついに勘当されてしまいます。高等遊民の生活は崩れ、三千代を養っていくために、代助はずっと卑しんできた「生活の為めの労力」をするために奔走《ほんそう》しなければならなくなるところで、物語が終わります。

この小説は三角関係の悲劇、あるいは純愛の悲劇のように説明されることが多いのですが、私は違うと思っています。私の読み方で言うと、「夢の世界に浮かんでいた青年が、この世の重力のようなものに引っ張られて、地上に落ちる話」です。幻想から現実に落ちたから、最後のところの代助は、ぐるぐると頭の中が回っている。あの「回る」感じはかなりの寓意《ぐうい》だと思います。

漱石の復讐《ふくしゅう》劇『それから』

さらに独断的に言わせてもらうと、『それから』は、漱石がかなりの意図をもって仕組んだ、一種の「復讐劇」ではないかと思うのです。

小説の中で代助は「nil admirari《ニル・アドミラリ》（傍観的、虚無的）」と評されており、「自称」一等国のにわか作りの資本主義の中で、俗物が跋扈する様子を斜めに見ています。そんな世の中で汗して働くのは馬鹿らしいと思っています。ある種の正論ではあり、それも漱石が代助に言わせていることです。しかし、それでいて漱石は、その馬鹿らしい俗世間から離れて生きていくことは誰もできない、と言っているのです。

『それから』というタイトルが示すとおり、代助と三千代がそれから先どうなったのかは書かれていませんが、おそらくは、お金の苦労にまみれて現実的な生活者になったでしょうし、そう簡単に「神聖」な仕事に就けるはずもなく、小さくてもいいから働き口さえ見つかれば御の字といったことになったでしょう。すなわち、人間は理想や幻想を描くし、幻想は無限に美しい広がりを持つけれども、やはりそれだけでは生きられない、矮小《わいしょう》な現実の中で生きざるをえないということです。

そして、こう言うとまるで妥協の産物のようになってしまいますが、やはり、それが「大人になる」ということなのです。それまでの代助は、いかに教養があっても、いかに相手を煙《けむ》に巻くような賢さを持っていても、子供だったのです。ですから、代助の父親が「仕事をしてこそ一人前だ」と言うのは――この場合はかなり俗っぽい小言として言っているのですが――、真実ではあるのです。

私は、『それから』は、漱石自身が似たような経験、あるいは似たような思いをしたことがあり、それをモデルとしたのではないかという気もしています。漱石もたいへんな知性の持ち主で、世の中の偽善や虚飾を嫌っていました。もともと英文学者ですから、本当は俗っぽいところから身を遠ざけて、学問の世界で遊んでいたかったのではないでしょうか。しかし、「どんなにいやでも、そうせざるをえない」という気持ちで、教師になったのかもしれません。

もしそうであるとすれば、自分自身が受けた復讐をモデルとして書いた、と言えないこともありません。

精神のない専門人

小説の中に出てくる「神聖な労力」という言葉について、少し補足しましょう。いまの人は、そんなものが存在するのかと思うかもしれませんが、「神聖な労力」という考え方は、資本主義の誕生以来、それを内面から駆動するエートスのようなものでした。私的所有権も、それが労働の成果である限り、神聖で侵してはならない権利として正当化されるようになり、「どのような仕事であっても労働は尊い」という考え方へとつながっていきました。しかし、十九世紀末の漱石のころから、それはまったくの「神話」であったことが露呈するのです。

第二章でも言いましたが、資本主義の初期の理想は十九世紀末には完全に崩れ、がりがり亡者的な利益の追求の中で、代助の父親のようなにわか成金がたくさん登場しました。合理性と効率性が求められる中で職業は急速に専門分化・細分化していき、人びとは無感動に働くワーキング・マシンと化していきました。

漱石は『道楽と職業』という講演の中で、「開化の潮流が進めば進む程又職業の性質が分れれば分れる程、我々は片輪な人間になって仕舞うという妙な現象が起る」と述べています。ウェーバーが「プロテスタンティズムの倫理と資本主義の精神」の中で、「精神のない専門人、心情のない享楽人」と言っているのに似ています。

たしかに、そのような働き方は人間の全人格のうちのごく一部分だけしか使っていないわけで、それゆえに、代助は「普通の勤め人」の友人平岡を軽蔑し、人間性としては自分のほうが高等である、と思うのです。むろん、「だから働かなくていい」という理屈は通りませんが、考え方としてはそういうことです。

では、人間を「働く人間」として育成するものは何なのかということを考えると、「教育」にいき当たります。

たとえば、前近代の西洋には「徒弟制度」というものがあり、読み書きなど必要な知識を教えながら、将来に備えて「働く人間」を育てるシステムとして機能していました。そして、近代以降は「国家による教育制度」がこれに取って代わりました。

そこにおいても、目的は「将来、国家のために有益な働きをする人間を作る」ということだったはずです。だからこそ、代助は「最高学府を卒業したのに、遊んでいるのはおかしいじゃないか」と言われるのです。しかし、逆の見方をすれば、教育制度のほうに何か本質的な問題があって、働く人間を作り出さない代物になっているのではないか、と言うこともできます。

それは、その後の百年間にもっと進んだはずで、そうしてみると、いまの世の中には、代助の子孫がたくさんばらまかれているのかもしれません。

他者からのアテンション

漱石は、「働く」ことは人間性のうちのある部分しか使わないものだと認めながらも、「人は働かねばならない」と考えていました。「労働は神聖である」などとはぜんぜん考えていない現代のわれわれも、やはり「働いてこそ一人前である」と言います。そして、一部の人を除けば、「食べていける資産を持っていようといまいと、やっぱり働くべきだ」

と思っています。

では、なぜわれわれはそう思うのでしょうか。最初の問いに戻って、「働く」ということの意味は何なのか、考えてみましょう。

先日、ワーキングプアに関するＮＨＫのテレビ番組を見ていたら、三十代半ばのホームレスの男性のことが紹介されていて、いろいろ教えられるところがありました。その男性は公園に寝泊まりし、ゴミ箱から週刊誌などを拾って売り、命をつないできたのですが、運よく市役所から、一ヵ月のうちの幾日か、道路の清掃をする仕事をもらうことができたのです。番組は彼の姿を追っていろいろ話を聞くのですが、その彼が最後に目頭を押さえて泣くシーンが映し出されました。

彼によると、一年前だったら、何があっても涙が出ることはなかったそうです。ところが彼は、働いているときに、人から声をかけられたのです。何という言葉をかけられたのかわかりませんが、たぶん、「ご苦労さま」に類するような言葉だったのではないでしょうか。「以前は、生まれてこなければよかったと言ってましたが？」という取材者の問いに、「今も、そう思う」と答えた彼は、ちゃんと社会復帰すれば、生まれてきてよかったとなるんじゃないか、と言って言葉をつまらせます。そして、前だったら泣かなかった、普通の人間としての感情が戻ったのかもしれない、と言うのです。

これはとても象徴的で、「人が働く」という行為のいちばん底にあるものが何なのかを教えてくれる気がします。

それは、「社会の中で、自分の存在を認められる」ということです。同じようにその場にいても、ホームレスとしてたまたま通りかかっただけだったら、声をかけられることはなかったはずです。一生懸命働いていたからこそ、ねぎらいの声をかけられた。人がいちばんつらいのは、「自分は見捨てられている」「誰からも顧みられていない」という思いではないでしょうか。誰からも顧みられなければ、社会の中に存在していないのと同じことになってしまうのです。

社会というのは、基本的には見知らぬ者同士が集まっている集合体であり、だから、そこで生きるためには、他者から何らかの形で仲間として承認される必要があります。そのための手段が、働くということなのです。働くことによって初めて「そこにいていい」という承認が与えられる。

働くことを「社会に出る」と言い、働いている人のことを「社会人」と称しますが、それは、そういう意味なのです。「一人前になる」とはそういう意味なのです。

社会の中での人間同士のつながりは、深い友情関係や恋人関係、家族関係などとは違った面があります。もちろん、社会の中でのつながりも「相互承認」の関係には違いないのですが、この場合は、私は「アテンション（ねぎらいのまなざしを向けること）」というような表現がいちばん近いのではないかと思います。清掃をしていた彼がもらった言葉は、まさにアテンションだったのではないでしょうか。

ですから、私は「人はなぜ働かなければならないのか」という問いの答えは、「他者からのアテンション」そして「他者へのアテンション」だと言いたいと思います。それを抜きにして、働くことの意味はありえないと思います。その仕事が彼にとってやり甲斐のあるものなのかとか、彼の夢を実現するものなのかといったことは次の段階の話です。

そして、もう一つ言えば、このアテンションという「承認のまなざし」は、家族ではなく、社会的な他者から与えられる必要があるのだろうと思います。

ここで再び『それから』の代助を思い出します。以前の代助は完全に「自分の世界」に生きていました。すなわち自己完結の輪の上を生きていたわけです。ところが、三千代への愛によってぷつっと輪が切れた。そして、現実社会の中で新しい輪とつながろうとするときには、父や兄という家族との縁が切れる。これはなかなかよく練られた仕掛けではないかと思います。

そのような意味で、先ほども言いましたが、『それから』という小説は、相当の意を用いて書かれた小説なのです。

コミュニケーション・ワークス

最後に、働く意味の「次の段階」のことを少し考えましょう。

職場の中で、昨日まで頑張っていたのに、突然出てこなくなってしまう人が多くなってはいないでしょうか。おそらくどの人もぎりぎりまで頑張って、それでもこらえきれずに脱落してしまったのだと思いますが、そういう人が就いていた仕事は、マニュアル労働的な仕事よりも、サービス業的な仕事である場合のほうが多いのではないでしょうか。

かつては第二次産業である製造業が職業のメインでしたが、いまはサービス業がメインになっています。サービス業とは、難しく言うと「社会関係の再生産」にかかわる労働であり、要するに人間関係をメインとするコミュニケーション・ワークスです。「肉体労働」に対して「情動労働」と呼べるものですが、いま、福祉や医療、販売や営業といった昔ながらのサービス業だけでなく、あらゆる仕事がサービス業化しつつあります。これは二十一世紀の職業の特徴だと思います。

俗に「人仕事」という言い方がありますが、人とのコミュニケーションには形がなく、しかも、ケースバイケースであるため、かなり過酷です。単純労働と違ってマニュアル化しにくいため、おのおのの努力や工夫で頑張らねばならず、肉体も神経もフルに使うことになって、心身ともに疲れ果ててしまいます。

たとえば美容師や理容師でも、必要なのはヘアカットの技術だけではありません。相手の年齢や職業や立場を察して、どんなスタイルがふさわしいか考える能力、カットしている間、相手がリラックスできるように会話する能力など、いろいろなことが要求されます。そうしたことが総合的にできてはじめて、指名が増え、固定のお客さんがつきます。中には、髪を切ってもらっている間のおしゃべりが楽しいという理由で指名するお客さんもいるでしょう。そうすると、カット技術よりもコミュニケーション能力のほうが重要ということになってしまう。そんなふうに仕事のあり方がどんどん多様化して、これまでは使う必要のなかった能力までフル稼働しなければならなくなるのです。

じつは、私の職業である大学教師もまさにサービス業だと実感しています。ただ授業を行って勉強を教えればよいというわけではありません。年じゅう進路や人生などの相談を受けますし、深刻な相談を受ければ、その場限りで片がつくわけではなく、その人のことがいつまでも気になります。どこかで線を引かないと、限りなく人の人生を背負うことになってしまいます。

サービス業の大きな特徴として、「どこまで」という制限がないことがあります。だから、中には、果てしなくのめりこんで、ときには消耗しつくして自殺する人もいるといいます。阿部真大《まさひろ》さんの『搾取される若者たち』には、「自己実現」ということに夢中になるあまり、自分にノルマを課しすぎて破滅するバイク便ライダーの話が出ています。

おそらくこれらには「評価」の問題もかかわっていると思います。形のないサービスであるだけに、良いのか悪いのか、良い場合はどのくらい良いのか、悪い場合はどのくらい悪いのかといった判定がしにくいのです。頑張っても正当に評価されなければ、人はやはり無力感にさいなまれるでしょう。

「全人格性」を取り戻す可能性

しかし、だからこそ、私は可能性も大きいと言いたいのです。人とのコミュニケーションの方法は無限にあり、そこから自分が何かをもらえる可能性も無限にあると思います。人間と人間が交じりあう中にはさまざまな「偶発性」が存在しうるからです。それは、普通のマニュアル労働よりもはるかに重圧がかかり、人によっては耐えきれなくなるかもしれません。が、逆に、人間としての何かに目覚め、大きなものを得るチャンスも増えると思います。

その可能性は、百年前よりも、はるかに大きくなっているのではないでしょうか。ウェーバーが言うように、専門分化の進んだ社会では職業人は一面的たらざるをえませんが、現代のサービス業は、逆に全人格性を取り戻す可能性を秘めていると言えなくもないのです。

私自身、サービス業にたずさわる者として、毎日多くの人とコミュニケーションをしますが、疲れながらも、やはり多くのものをもらっていると思います。そして、その場合に得るものは、やはり働くことの第一義である「他者からのアテンション」の一種ではないでしょうか。

自分自身に「私はなぜ働いているのか」と問うてみることがあります。すると、いろいろ考えた挙げ句、他者からのアテンションを求めているから、という答えが返ってきます。お金は必要ですし、地位や名誉はいらないと言ったら嘘《うそ》ですが、やはり、他者からのアテンションが欲しいのです。それによって、社会の中にいる自分を再確認できるし、自分はこれでいいのだという安心感が得られる。そして、自信にもつながっているような気がします。

人間というのは、「自分が自分として生きるために働く」のです。「自分が社会の中で生きていていい」という実感を持つためには、やはり働くしかないのです。

第七章　「変わらぬ愛」はあるか

「純愛ブーム」vs「マゾ的性愛」

「愛とは何か」というのは古くて新しいテーマであり、いつの時代も語られないことがありません。いまも周囲を見渡せば、本、雑誌、テレビ、映画、どれもが手を替え品を替え恋愛を扱っていて、まさに恋愛花盛りといった感じがします。

しかし、よくよく見ると、いま言うところの「愛」には、何かひっかかるものを感じます。一方には、『世界の中心で愛を叫ぶ』のような「純愛」にどっと拍手する傾向があります。一方に、『愛の流刑地』のように一種のマゾヒズム的性愛を究極の純愛と見る傾向もあります。しかし、現実的には、ほとんどの人がそのどちらにもいけなくて、「愛する人が見つからない」とぼやいているようです。「彼氏、彼女いない歴××年」の男女、「結婚に踏みきれない」男女が増えて、晩婚化が進んでいますし、離婚率も高くなっています。

若い人が占いや心理ゲーム的なものに飛びついたり、「愛される方法」「ステキな恋人を作る方法」といったハウツー的な特集が盛んに組まれたり、あるいはお見合いサークルがはやったりと……。これらは、じつは、この時代の中で「愛とは何なのか」が見えにくくなっていることの裏返しなのでしょう。

愛についてうんざりするほど語られながら、じつは誰も愛について本当には語っていないのかもしれないと思うことがあります。

恋愛幻想の果ての「流刑地」

愛とはいったい何なのかを考えるとき、私は漱石の描いた男女のことを思い浮かべます。漱石の作品は、完全な恋愛小説とは言えないのですが、男女の恋愛は中核的なテーマで、そこにはいまでもけっして古びない男女の機微が描かれています。

漱石が描いた男女の愛には特徴があって、ときに「三角関係ばかり書いた」「不倫ばかり書いた」などと言われます。でも、私は、漱石は近代の知識人の「恋愛幻想の悲劇」のような側面を書いた、と言うほうが正しいのではないかと思うのです。

たとえば、親のすねをかじって生きている『それから』の代助は、親から経済的援助を受ける交換条件として資産家の娘と政略結婚することを迫られます。しかし、代助は友人平岡の妻・三千代との許されざる愛のほうに「真実の愛」があると思っています。そこで、勇気をふるって三千代を選びますが、いざ三千代が覚悟を決めると、「慄然《りつぜん》として戦《おのの》」くのです。いまの言葉で言うと、ちょっと「引く」のです。ここにいみじくも空想と現実の落差があらわれています。むろん、代助の三千代への愛は嘘ではありませんが、生活のために職探しに外へ飛び出していく代助の様子は、愛が成就したことに歓喜している男のようには見えません。

『行人』の一郎は、妻が自分を愛しているのかどうか確信が得られず、弟に妻を誘惑してみてほしいと頼みます。優秀な学者である人間がなぜそんなことを、と理解に苦しみますが、それは、一郎が「真実の愛」というものを追い求めているからです。彼の考えによれば、夫婦というのは社会的な役割行動に縛られたものであり、それを取り払ってみなければ、そこに本物の愛があるのかどうかわからない、ということになります。そう信じて疑わないのです。

頭の中で「これこそが愛だ」と思い描いているときは、何か無上に美しい、神聖なもののように思えるものです。しかし、それが成就され、結婚などの形で具体化されてしまうと、とたんに地に堕して所帯じみたものに変化する。冷えて固くなった使い捨てカイロみたいになってしまうのです。

形而上＝非日常の中にあるからこそ愛は生き生きと美しく見え、形而下＝日常に落ちたとたん、形骸《けいがい》化されて息の根を止められるということでしょうか。「結婚は人生の墓場」という言葉がありますが、そのとおりであるとすれば、結婚あるいは夫婦という制度に縛られた家庭という場所こそ「流刑地」ということになってしまうわけです。

ちなみに、ウェーバーは、ものごとの意味を剝奪《はくだつ》されて謎《ミステリー》がなくなった近代合理主義の中で、宗教を別にすれば、「性愛と芸術」が唯一手つかずで残った「最後の処女地」だと考えていたようです。

ウェーバーは知性もお金もあるなかなかの伊達男で、妻のマリアンネ以外に女優などと浮名を流したと言われています。マリアンネのほうも、ウェーバーの周辺にいる学者とのラブレターのやりとりがあったそうです。ですから、彼らもやはり、家庭以外の非日常の愛に魅力があると思っていたのかもしれません。

漱石も、妻の鏡子との仲はむつまじいとは言えず、小説の中では、「妻へのあてつけ」と疑われかねないほど、容姿も性格も対照的な女性を「理想の人」として描きました。たとえば『夢十夜』の「第一話」の女性などが典型的です。鏡子は夫の作品に自分とはまったく違うタイプの女性が出てくるたびに打ちのめされたといいます。漱石は妻以外の女性と関係を持ったことはなかったようですが、頭の中では、相当ぶっ飛んだものを思い描いていた可能性があります。

「自由」が愛を不毛にする

漱石の描く男女たちには、手放しの幸福感のようなものはあまり感じられません。むしろ、どうにもしようがない「愛の不毛」のようなもののほうが目立っています。

では、それと較べていまの私たちの恋愛はどうなのでしょうか。

じつは私は、漱石のころよりもはるかに不毛になっているのではないかという気がします。そして、その理由は、私たちがより多くの「自由」を手に入れたからではないかと思っています。

近代の到来とともに、私たち「個人」はさまざまなものから自由になりました。何を信じるかも自由、どう生きるかも自由。そして、「誰をどのように愛するか」も「何を愛と考えるか」も自由になりました。

百年前の漱石のころの日本は、まだ自由のスタート地点にあり、恋愛についても完全にフリーではありませんでした。むしろ不自由な面も多かったでしょう。恋愛結婚をする人はそれほど多くはなく、伝統や家柄、格式、身分や立場など、さまざまな制約の中からおのずと伴侶《はんりょ》が決まっていたと思います。相手を完全に自由に選べたわけではありません。しかし、制約があったからこそ、それが「愛」なのか「愛ではないもの」なのかが、まだ見分けやすかったのです。たとえば、もし自分の意思とうらはらな伴侶を無理やりあてがわれれば、逆に、自分が真に心惹かれるのはどういう相手なのかわかったりもするでしょう。

これに対して、何でも自由にしていいと言われたら、人は判断の基準を失って途方に暮れるのではないでしょうか。自由というのはたいへんな困難を伴うものです。

愛する自由を手にしたことによって、愛からますます遠ざかっていくという皮肉がそこにあります。

不自由だからこそ、見えていたものがあった。自由になったから、見えにくくなったものがある。これは恋愛に限らないことですが、自由の逆説と言えるものなのかもしれません。

誰を愛するのも自由、何を愛とみなすかも自由、となったとき、人はどうするのでしょうか。判断する基準がないから、別の尺度を作り出します。具体的な条件をつけて消去法で選んでいくのです。私が若いころには、「三高」と言って、「高収入、高学歴、高身長」が、女性にとって理想の相手と言われました。いまは、それに加えて、仕事の内容や、年齢、容姿、住んでいる場所、家族構成なども入るのでしょう。お見合いサークルに入るのは条件にあう人を見つけるためでしょうし、そこに入らなくてもみながだいたい同じようなことをやっているのです。

そして、なぜ恋人が欲しいのかと問われると、多くの人が「幸せになりたいから」と言います。むろん、「不幸になりたいから」と言う人はいないでしょうが、これはかなり深刻なはき違えをしているのではないかという気がします。「私が幸せになるため」というお手軽な考え方によって選ばれた愛は、「いくらでも代替可能な愛」になりかねず、言ってみれば、愛が消耗品になっていく恐れがあります。

しかし、代替可能な愛をじっさいに選んでみれば、多くの人が「やっぱり違う」と気づくのではないでしょうか。そこで、「本物の愛はどこにあるの?」ということになって、極端な行動に走ることになるのです。その一つが、ティーンエイジャーのころにとっくに卒業したはずの純愛であり、もう一つが、未踏の領域に踏みこむかのような即物的なセックスなのではないでしょうか。

このように、両端に非常に極端な愛のありようがあり、その中間に消耗品的な愛が満ちているのが現在の状況だと言えます。こうした時代は、「恋愛論」というものが成り立たないくらい不毛なのではないでしょうか。

「絶頂」で終わらせたい

いま私は、「幸せになりたい」ということと「愛」をはき違えていると言いましたが、じつは、それも間違いではなく、ときおり言われるのは、「愛とは、結局エゴイズムである」ということです。これも一面の真理だと思います。

話がそれますが、少し広げて考えてみましょう。

たとえば、ストーカーと言われる人たちがいます。ストーカーというのは自分の思いだけで突き進み、「相手の迷惑を顧みない」点が罪悪なのだと言われます。しかし、その一方で、相手をものすごく愛しているのに犯罪者扱いするのは間違いだ、「熱烈な片思い」とどこが違うのか、という意見もあります。

しかし、やはりそれをよしとしてはいけないのです。というのも、ストーカーが行き着くところまでいくと、おそらく「カニバリズム（相手を食べてしまうこと）」になるからです。相手を一方的に熱愛した場合、相手を自分の中に取りこんで、一つに融合させたくなる。この意味で、エゴイズム的愛の極致は、「相手を消滅させる」ことにあるのです。日本の古典文学のクラシックなパターンである「心中」にも、少し通じるところがあります。この場合、相手を殺し、自分も死ぬわけですが、それでも愛する相手を消滅させることに変わりはありません。

しかし、好きな相手をいちいち消滅させてしまっていたら、たいへんです。ですから、極論ですが、それをやめさせるために、人間は「結婚制度」というものを作り出したのかもしれません。

人間というのはこの地球上で唯一「考える動物」です。衝動的に性欲をもよおすことを「獣《けもの》になる」と言いますが、それは比喩《メタファー》にすぎないのであって、人間と動物は根本的に違います。この地球上に「種の保存」以外の目的でセックスする動物は人間以外にいませんし、愛するゆえに相手を殺す動物もいません。

そして、なぜ愛する相手を消滅させたくなるのか、ということを考えるときに浮かびあがってくるのは、「人の心は刻々とうつろう」ということです。愛が冷めるのが恐い。だから、相手を最高に愛しているときに消滅させてしまいたい、あるいは相互の愛情が最高に高まっているときに終わらせてしまいたい、という気持ちになるのではないでしょうか。

相互のパフォーマンスの所産

少々極端な話になってしまいましたが、いま、私自身が「愛」に関して実感していることは、結局「愛には形がない」ということです。形がないだけでなく、「愛のあり方は刻々と変わる」のです。

「私にとってこの人は何なのか？」と問うことは、問いかけ自体が間違っているのではないでしょうか。すなわち、相手と向かいあうときは、相手にとって自分が何なのかを考える。相手が自分に何を問いかけているのかを考える。そして、それに自分が応えようとする。相手の問いかけに応える、あるいは応えようとする意欲がある、その限りにおいて、愛は成立しているのではないでしょうか。

よく、長くつきあっている恋人同士や夫婦がこう言うのを聞きます。「彼への愛が冷めちゃったの」「彼女が心変わりした」「昔のように愛せない」。しかし、それは正しいのでしょうか。

誰もが「これこそが愛だ」というものを取り出したがりますが、愛というものには形がないから、取り出せません。ただ、「愛」という漠然としたものの中で唯一取り出し可能なのが「性」だと言うことはできるかもしれません。だから、愛をつかみかねているときに、性に頼るということもあるでしょう。

かと言って、いまの人びとがいわゆる普通のセックスに信を置いているかというと、それほどでもないと思います。その昔、奈良林祥《やすし》さんの『HOW TO SEX』という本が大ベストセラーになったことがあります。男女が愛を確かめあうおごそかな儀式としてセックスがあり、それが成就されたとき恍惚《こうこつ》に至るといった趣旨だったと思いますが、そうしたことを額面どおりに受けとるほど素直な人は、いまはあまり多くないでしょう。

結局、愛というのは、ある個人とある個人の間に展開される「絶えざるパフォーマンスの所産」の謂《いい》なのであって、どちらかが何かの働きかけをし、相手がそれに応えようとする限り、そのときそのときで愛は成立しているのだし、その意欲がある限り、愛は続いているのです。

たとえば、夫婦であれば、長く連れ添う過程で、子供が生まれることもあるでしょう。次第に倦怠《けんたい》感を感じてくることもあるでしょう。あるいは、人によっては漱石の小説のように三角関係に陥る場合もあるかもしれません。愛は、どんどんありようが変わっていく。しかし、そのときどきに、互いの間に何かの問いかけがあり、互いの間にそれに応える意欲があるということが、たぶんいちばん重要なのです。

人の愛し方などという法則はなく、チェスの勝負と同じような、あらかじめこれと決まった手順もありません。そのときそのときの配置を見ながら、最良と思える手を打っていく。それと同じように、相手から一つ一つ投げかけられる問いに、一つ一つ応えていく。そして、最終的に相手に対して遂行的になる意欲がまったくなくなったときに、愛は終わるのではないでしょうか。

相手に対して熱烈な愛情を持ちつづけるのは不可能に近いことで、その温度が下がったとき、多くの人が寂しさを感じるでしょう。しかし、それは愛のありようが変わっただけであり、愛がなくなったわけではないのです。

それは、結婚しようがしまいがおそらく同じことで、だから、私個人の考えを言えば、

「恋愛と結婚は別だ」というのは、信じられないのです。その意味で、何か異次元のような場所にことさらに愛の聖《サンクチュアリ》地を作って、そこにしか本物の愛はないと考えることにはあまり賛成できませんし、ましてや、絶頂のところで愛を終わらせてしまおうという考えにはなおさら賛成できません。

それは私自身の結婚がそうだったからであり、いま振り返ってみて、やはり結婚してよかったと思っているのです。

灰の中の残り火、それも愛

その意味で、漱石の作品をもう一度読み返してみると、別の側面から見えてくるものがあります。漱石は大半の男女の関係を夫婦という形で描きました。そして、先ほども言ったように、一見、どの夫婦もあまり幸せそうには見えません。多くの夫婦が自我と自我をぶつけあって、あるいは、幻想と現実の違いに疲れて、どうにもならないところにはまりこんでいるように見えます。しかし、じつはそうとばかりも言えないのではないかと思います。なぜなら、不毛に見える関係のところどころに、光が見えるからです。

たとえば、私は『門』の宗助とお米という夫婦が好きです。かつて友人を裏切ってまで熱愛に走った彼らは、いまは慚愧《ざんき》の念から抜け殻のような隠遁《いんとん》生活を送っていますが、彼らの暮らしの中には灰の中の残り火のようなぬくもりがあります。

夫婦関係としては一見救いようのない『道草』もそうです。この作品は漱石と鏡子の実像に近いと言われていて、かなり厳しいものがあるのですが、健三が妻の急な出産にうろたえる場面などは非常にリアルで、容易に断ちきりがたい絆《きずな》のようなものが感じられます。そして、夫婦が凄絶《せいぜつ》な心理バトルのようなものを展開する『明暗』でも、津田とお延の心が、不思議な形で「同志」のように結合する瞬間があります。

その意味で、漱石は夫婦という男女が生きる家庭をけっして「流刑地」として書いたわけではないと思うのです。

考えてみれば、夫婦には、親子のような血縁関係はありません。もともとは赤の他人です。にもかかわらず、どちらかが亡くなると、悲嘆に暮れ、相手に対する愛惜の念が出ます。それは、愛というものがありようを変えながらお互いの中に存在し、その集積が自分の人生にもなっているからではないでしょうか。ですから、最終的に愛が成就できたかどうかは、人生が終わってみないとわからないのです。

先ほどウェーバーとマリアンネはともに、伴侶以外に愛の聖地を求めていたらしいと言いましたが、二人が「愛とは何か」についてやりとりした手紙が残っていて、とりわけウェーバーが精神病を患ったときのものなどを見ると、温かな輝きのようなものが感じられます。

漱石も、日記などを見ると、鏡子に対してかなり手厳しいのですが、そうでありながらも、ときにたいへん思いやりを感じさせる手紙も書いています。どちらの夫婦とも別れることなく添い遂げていますから、彼らの愛もまた、最後まで続いていたのではないでしょうか。

そして、もう一つ付け加えれば、漱石の小説の中には、多少悪女的な女性は出てきますが、極端な色男《ドンファン》は出てきません。描かれているのは、破天荒な冒険ではなく、むしろありきたりの世界です。先ほど、恋愛幻想のことを言いましたが、見方を変えれば、漱石は、日常的な男女のあり方の中にこそ、最大のアバンチュールがあると考えていたのかもしれません。

さらにもう一つ、漱石の登場人物たちについて言えることがあります。それは、愛というものが男女の相互のパフォーマンスの所産であるという意味では、彼らはけっして愛に対して怠け者ではなかったということです。つまり、お手軽ではなかったということです。

繰り返しますが、愛とは、そのときどきの相互の問いかけに応えていこうとする意欲のことです。愛のありようは変わります。幸せになることが愛の目的ではありません。愛が冷めたときのことを最初から恐れる必要はないのです。

第八章　なぜ死んではいけないか

「例外状況」と「臨戦態勢」

「無差別殺人」はアメリカの出来事、というのは昔の話で、この日本でも最近は信じがたいような事件が起こっています。二〇〇一年の大阪教育大学教育学部附属池田小学校の殺傷事件はまるで悪夢のようでしたが、二〇〇七年、長崎でも散弾銃を乱射して複数の人間を殺傷するという事件が起こりました。こうした報道に触れるたびに、私は「人の命が軽くなっている」ことに、うすら寒い思いがします。

安定した法や秩序が無力となる危機的状況を「例外状況」と呼ぶなら、それと同じような状況が、私たちのありふれた日常の世界の中に広がっていきつつあるようです。

何の恨みもない、自分とはまったく無関係な他者を殺す。これはいったいどういうことなのでしょうか。私が思うに、それは「人が生きていることには意味などない」という状況を現実に作り出してみせているのではないでしょうか。そんな気がします。

池田小学校事件の被害者は幼い子供であり、子供とは、もっとも穢《けが》れがなく、明るく、幸せな未来を象徴する存在です。だからこそ、それをいきなりこの世から消してしまう。そして、自分も死刑になって、この世から消える。最悪の結末ですが、犯人は、そうすることで、「生」に意味がないことを証明しようとしたのかもしれません。

大それた事件を起こしてしまった犯人も救われません。しかし、子供を奪われた家族のほうはもっと救われません。なぜなら、被害者にとって、それは戦争や疫病で命を取られるのと同じような「不条理」であり、なぜ自分の子供が死なねばならなかったのか、その意味を見出すことは絶対にできないからです。言わば、「意味の彼岸」ができてしまうのです。

精神医学者で思想家のV・E・フランクルは、人は相当の苦悩にも耐える力を持っているが、意味の喪失には耐えられないといった趣旨のことを述べています。

人は自分の人生に起こる出来事の意味を理解することによって生きています。むろん、いちいちの意味を常に考えているわけではなく、意味を確信しているゆえに理解が無意識化されていることもあります。が、いずれにせよ、それが人にとっての生きる「力」になっています。だから、意味を確信できないと、人は絶望的になります。

先のような悲惨な事件に見舞われないまでも、自分が生きている意味がわからないという人、あるいは何かの不条理な原因によってわからなくさせられてしまっている人は、確実にふえているのではないでしょうか。自殺率が年々上がっているのがその証拠です。それは日本だけの話ではありません。韓国でも似たような状況になっています。

いま世の中を見渡すと、一見、誰もが何不自由なく暮らしているように見えます。でも、じつは違うのではないでしょうか。都会の夜のイルミネーションの輝きを見れば、美しいと思います。しかし、美しい光に目を眩《くら》まされて見えなくなっている陰の部分で、恐ろしいことが進行しつつあるような気がするのです。「人の心の闇《やみ》」の中に、得体の知れないものがうごめいているような、そんな感じです。

飽和状態に達した世界の中で、大小無数の「例外状況」が起きていて、それが、何とか無事に日々をやりすごしている人の心にも、大きなストレスを与えているのではないでしょうか。だから、何かことが起こると、キレる、投げ出す、ひきこもる、あるいはうつになる。最悪の場合は、自分の命を絶つ。

「普通の人」と言われている人に、ある日、突然異変が起こる今日このごろです。多くの人が心の「臨戦態勢」を強いられているような気がします。

死は無意味、ゆえに生も無意味

そうした「臨戦態勢」がもっとも濃密に、しかも積極的な形であらわれる場所は、死と隣りあわせの強制収容所だったのではないでしょうか。

V・E・フランクルは、第二次世界大戦中、アウシュビッツなどの強制収容所に収容され、ある男性と知りあったのですが、年齢も上で体力も劣るフランクルは生き残り、強健で年も若い彼は死にました。フランクルは過酷な扱いを受けながらも望みを捨てず、この状況を生きぬいて、「人間的に悩みたい」と願いつづけていたそうです。でも、その男性はあきらめてしまったのです。生きることの意味を確信しているかどうかで、人間の生命力は絶対的に変わってくるのです。

トルストイは、「無限に進化していく文明の中で、人の死は無意味である。死が無意味である以上、生もまた無意味である」と言いました。人が自然の摂理に即した暮らしをしているときは、有機的な輪廻《りんね》のようなものの中で、生きるために必要なことをほぼ学んで、人生に満足して死ぬことができます。しかし、絶え間ない発展の途上に生きている人は、そのときにしか価値を持たない一時的なものしか学べず、けっして満足することなく死ぬことになります。だから、確たるものの得られない死は意味のないただの出来事であり、無意味な死しか与えない生もまた無意味である――というのです。

第三章でも言いましたが、自然の摂理に即した暮らしとは、伝統的な慣習の中に生きていた私の母親の人生のようなものを言うのでしょう。その意味で、母は幸せだったと思います。しかし、いまの私たちはそのような決まりきった環境の中で生きることはできません。人間のサイクルの律動みたいなものに身を任せて、疑問なく生きて、疑問なく死んでいくことはもはやできないのです。

先へ先へと猛進していく時代の中では、一人一人の人生は「通過点」の一つにすぎなくなります。すると、人びとは、自分はとりあえず生きているけれども、何の生き甲斐があって生きているのかわからないといったことになりがちです。実感がないから、自分がいなくても誰も困らないだろう、いくらでも代替可能なのだというような気分になる。すなわち、生きている意味が磨滅していくわけです。

いまの世の中で、自分が生きていることに真に感謝し、生きている喜びを心から謳歌しているという人は、どのくらいいるのでしょうか。

慣習による抑止力も無効

先日、「自殺」に関するテレビ番組を見ていたら、「死にたいと考えている人に、死ぬなと言うのは、じつは残酷なのだ」という意見がありました。これはある意味真実だろうと思います。しかし、自分がもしそのような場面に遭遇したら、やはり「死んではいけない」と言うだろうと思います。迷いながらもです。

一口に死と言っても、「価値観や道義心から絶対に譲れない」という形而上的な死もあれば、「借金の返済さえできていれば死なずにすんだ」といった形而下的な死もあります。ですから、「死」を一般化しては語れないのですが、たいへん難しい問題です。

漱石の『硝子戸《ガラスど》の中』の中に、こんな話があります。

漱石のもとに、あるとき女性が訪ねてきて、身の上話をします。それは、聞いているほうが息苦しくなるほど悲痛な告白で、語り終えた後、女性は漱石に、「もし、自分のような女を小説に書くとしたら、その女は死んだほうがいいと思うか、生きているべきだと書くか」と尋ねます。

漱石は、その女性が世の中で一寸の身動きもできないような立場にいることを察します。それでも、女性に「死なずに生きて居らっしゃい」と言うのです。そして、日ごろ、自分の胸にしばしば「死は生よりも尊とい」という言葉が往来していることを思います。

そう思っても生きている理由は、父母、祖父母、曾祖父母と、ずっと遡って数百年、数千年続いている人の生命の習慣を、自分一代で断ちきってはいけないからだそうです。「生きているのが苦痛なら死んだら好《い》いでしょう」とはけっして言えないというのです。

そして、こう述べます。

「斯《か》くして常に生よりも死を尊いと信じている私の希望と助言は、遂に此不愉快に充ちた生というものを超越する事が出来なかった。しかも私にはそれが実行上に於る自分を、凡庸な自然主義者として証拠立てたように見えてならなかった。私は今でも半信半疑の眼で凝《じっ》と自分を眺めている」

思想のうえでは死の尊厳を尊んでも、現実的には人はやはり天寿をまっとうすべきである。みずから命を絶ってはいけない。自分の命は自分のものではなく、父祖から与えられたものである――。これはある意味たいへん正論です。しかし、同時に、私はこのような説得が、いまの人たちに対してどのくらいの抑止力を持つだろうかとも思うのです。

漱石の時代には、とにもかくにも、こうした人の生存上の慣習や慣行のようなものがまだ生きていました。また、いまと違って結核などの不治の病が多くあり、死亡率が高かったことも関係するでしょう。だから「命を粗末にしてはいけない」という観念が当たり前のようにあり、「人を生かす力」として生きていたのです。それは「自分がどこにいるか」という位置も示してくれていたし、生きる意味を見失ったときの「助け船」にもなりました。

しかし、いまはもう、そのような慣習意識はありません。最初から無規制状態に置かれています。生きているのが空しくなったとき、慣習に基づく考えから死ぬことを思いとどまろうと考える人などいるでしょうか。

これも結局、個人の「自由」が進んだからです。死ぬのも生きるのも自由、自分で考えて決めなさいと言われる。自由が究極まで進むと、人はこのような「よるべのなさ」を味わわねばならなくなるのです。

何が生きる力になるのか

自由を得たことと引き換えに、私たちはいま、慣習という歯止めに代わって生きる推進力になる何ものかを、それぞれが手に入れるよう強いられているのだと思います。これはたいへんな難行です。しかし、結局それしか死への抑止力はないというのも事実なのでしょう。

先にも述べたように、いまの社会では、否応なく世の中から見捨てられた気分で孤立している人も少なくないと思います。そうした人たちだけではありません。おそらく、活動的に仕事をし、懸命に自己実現を果たそうとしている人の中にも、空虚なものが広がっているのではないでしょうか。私自身、自分の生き甲斐というものを考えてみて、いったい何があるのだろうと、答えが出ないことがありました。たぶん、お金や学歴、地位や仕事上の成功といったものは、最終的には人が生きる力にはなりきれないのでしょう。

では、力になるものとは何なのかと問うていくと、それは、究極的には個人の内面の充足、すなわち自我、心の問題に帰結すると思うのです。

ここで私は再び、『心』の先生のことを思い出します。

「自由と独立と己れとに充ちた現代に生れた我々は、其犠牲としてみんな此淋しみを味わなくてはならないでしょう」と先生は言いました。

先生はお金に困っているわけでもなく、厭世的ではあるけれども、ひきこもっているわけでもありません。その点では、何不自由なく生きています。その先生に死を考えさせてしまうのは、やはり自我の孤独なのです。

「人は一人では生きられない」とよく言います。それは経済的、物理的に支えあわねばならないという意味だけでなく、哲学的な意味でも、やはりそうなのです。自我を保持していくためには、やはり他者とのつながりが必要なのです。相互承認の中でしか、人は生きられません。相互承認によってしか、自我はありえないのです。

先生は妻に、Kとのいきさつのことを最後まで告白しませんでした。そのために妻は満たされないものを抱えつづけ、結局、彼女を幸せにしてあげることができませんでした。それは妻への愛ゆえでもありましたが、自分の卑怯《ひきょう》さを認めたくないというエゴ、あるいは、事実の秘匿はみずからの信念で選びとった道であるという自尊心ゆえでもあります。こうして、先生の絶対的な孤独は救われることがありませんでした。そして、そんな「自分の城」を守っている限りにおいて、人は誰ともつながれないのです。

しかし、先生は最後に、隠し通してきたことを「私」に洗いざらい告白しました。守ってきた城を「私」に明け渡したのです。その瞬間、先生と「私」との間には、「相互承認」の関係ができたのではないでしょうか。そして、先生が「私」にそれをしたのは、先生が「私」を信じたからです。信じたからさらけ出すことができた。それでも先生は命を絶ちますが、その前に一瞬、自我の孤独から解放されたのではないかという気がします。

漱石は、この本で、人がみずから死を選びうる自由についても書きました。が、それよりも、人が他者とのつながりを求める切実な気持ちについて、書きたかったのではないでしょうか。

つながりを求めつづけろ

人と人がつながる方法は一つではなく、いろいろな方法があると思います。私にはどうしなさいともアドバイスできるわけではありません。と言うより、それぞれの人に悩んで考えてほしいと思います。「脳」に特化して上滑りになったり、「私」に閉塞して城を作ったりしないで、つながる方法を考えてほしいと思います。

単純に「死んではいけない」とは、私には言えません。でも、「人とのつながり方を考えてほしい」とは言いたいのです。つながるためにはどうしたらいいか考えて、その意味を確信できたとき、たぶん、「生」も「死」も両方、同時に重みを取り戻すのではないかと思うのです。そう信じたいのです。

私も長く悩みました。器用ではないので、ずいぶん時間がかかったと思います。子供のときに「自分は社会の中で誰にも承認されていない」という不条理に気づいて以来、遅々とした歩みの中で、少しずつ、人との間に相互承認の関係を作ってきたような気がします。

ときには自己矛盾に陥り、投げ出したくなりました。ときには全力で当たっていかないで、ぬらぬらした宙ぶらりん状態に甘んじていたこともありました。他者を認めると、自分が折れることになるような気がして納得できなかったこともあります。

しかし、その積み重ねによって、いまの私があると思うのです。他者を承認することは、自分を曲げることではありません。自分が相手を承認して、自分も相手に承認される。そこからもらった力で、私は私として生きていけるようになったと思います。私が私であることの意味が確信できたと思います。

そして、私が私として生きていく意味を確信したら、心が開けてきました。フランクルが言っていることに近いのですが、私は意味を確信している人はうつにならないと思っています。だから、悩むこと大いにけっこうで、確信できるまで大いに悩んだらいいのです。

中途半端にしないで、まじめに悩みぬく。そこに、その人なりの何らかの解答があると私は信じています。

終章　老いて「最強」たれ

彼らは若かった

人生とは長いようで短いもので、私も五十七歳になりました。漱石が亡くなったのは五十歳、ウェーバーは五十六歳ですから、気づいてみれば、すでに彼らの年を越えてしまっています。私にとって彼らは大先輩であり、どう考えても年下とは思えません。何か軽いショックのようなものを受けたりもします。

そうなのです。彼らは意外と若かった――。

彼らの意外な若さに驚くのは私だけではないと思います。それは、いまの人びとの多くが実年齢より低年齢化していることのあらわれでもあります。周囲にもし漱石と同じ五十歳の人がいたら、較べてみてください。おそらくその人は漱石のように「達観」などしておらず、「煩悩の塊」であるはずです。

一方で、日本は「超高齢社会」時代を迎えたと言われています。「老人介護問題」や「老いの過ごし方」のノウハウ、あるいは「団塊世代の大量定年」「早期退職と再就職」のことなど、エイジング（老い）に関する話題がかまびすしい今日このごろです。エイジングとはいったい何なのか。それを考えずして、「いま」という時代は語れません。そこで、最終章はこの問題のために割くことにしました。

ただし、残念なことに、頼りの漱石もウェーバーも「老い」の時期を過ごしてはいません。だから、不肖私の独断を全開にすることにしましょう。

分別のない老人ばかりになる

現代を生きている私たちの「老い」は、百年前の漱石たちの時代の「老い」とは決定的に異質なものになっていると思います。まず、従来イメージされてきた老いと現在の状況を比較してみましょう。

「老い」で思い浮かぶのは、肉体の衰えや思考力の低下についてです。これはいまも相変わらずそうだと思います。しかし、食習慣や高度医療、あるいはいろいろな文化的ファクターのせいでしょう、いまのシルバー世代は昔の同じ世代より格段に若くなっています。

少し前は六十歳定年が当たり前でしたが、いまの六十歳は精神的にも肉体的にも隠居するには早すぎます。

次に思い浮かぶのは、老人は「分別」する力を持ち、「老成」した賢さを具えているというイメージです。しかし、いまの老人はそういう感じでもありません。また、われわれの世代が十年、二十年後に、分別のある賢い老人になっているだろうかと考えると、たぶんそうはなっていないと思います。

そして、かつて老人は「枯淡」なものであり、妙な色気を持ってはいけないとされてきました。逸脱すると「年甲斐もない」と軽蔑の目を向けられました。ちなみに漱石は、父が五十一歳、母が四十二歳というかなり遅い年齢で生まれた子で、それゆえに「恥」として里子に出された経験を持っています。このことは漱石の心に大きなトラウマを残したのですが、これを見ても、当時の人の考え方がよくわかります。

しかし、現代では、かなりの高齢者にも恋愛があり、セックスがあります。「老人の性」はもはや当たり前という時代です。

そのように見ていくと、かつて言われていた「老人とは分別があり、老成していて、枯淡な存在である」というイメージは、現代においては、ほとんど崩れつつあると言えるでしょう。

「長老」という言葉があるように、従来、老人の知恵というものは社会にとって貴重な存在でした。映画『アラビアのロレンス』の最後に、老練な族長のファイサルが、ロレンスをちょっと哀れげに慮《おもんぱか》りながら、「若者は戦争で戦い、老人は政治を行う」といった意味のことを言うシーンがありますが、まさにそれです。

政治学の世界でも、「長老政治」というのはかなり重要な概念でした。しかし、日本にはもう長老は出てこないだろうし、カリスマも出てこないだろうという気がしています。

老人力とは「攪乱《かくらん》する力」

では、日本はこの先どうなっていくのでしょうか。

プラトンの『国家』には、子供というものは共有にすべきだと説かれています。ある種の「原始共産制」です。プラトンがそう考えたのは、子供が「理想国家」を乱す攪乱要因になることを恐れたからではないでしょうか。

これにならえば、いま、「老人とは何か」を考えるとき、子供と同じように、「社会の規範からはみ出した者」と考えることができるのではないでしょうか。なぜなら、定年を迎えて無職になれば、少なくとも「社会人」ではありません。非労働人口として生産活動の枠からはずれます。シルバーパスやフルムーンのような各種割引、いろいろな施設の「老人無料」などの優遇があることを考えると、積極的な消費者でもありません。どこか「未成年は無罪」と似たようなフリー状態になるのです。そんな高齢者が、いま大量に世に放たれようとしているのです。

かつては「老人」の持っている力は社会の暴走の歯止めになる、つまり「安全弁」になると考えられたものでした。しかし、いまのわれわれの世代がもう少し年を取ったとしても、社会の安全弁などには、おそらくならないでしょう。「老人は権威によりかかる」とか、「老人は保守的である」とか言われてきましたが、今後はそれもあてはまらなくなる可能性が高いのです。

ゆえに、これからの「老人力」とは何かと問われたら、「攪乱する力」である、と私は答えたいと思います。

子供はどんどん減っていきますが、老人はどんどん増えていきます。ですから、この社会は、もしかするとアナーキーなほうに向かうのではないかという気も少ししています。とはいえ、これは悪い意味で言っているのではありません。老人の「攪乱する力」は、生産や効率性、若さや有用性を中心とするこれまでの社会を、変えていくパワーになると思うからです。

「死」を引き受けて、「恐いもの」なし

ところで、かく言う私も、四十代末ごろ、年を取ることが恐ろしい時期がありました。自分の気力、体力が衰えていくことを考えると、この先どうすべきなのかわからなくなったりしました。得体の知れない不安に襲われて、無性に気が滅入《めい》ることもありました。最近は男にも更年期障害があると言われていますが、それだったのでしょう。一種のうつ状態だったと思います。

しかし、それが吹っきれた後、妙にサバサバして、「この世の中に、恐いものなどあるか」といった心境になったのです。

そうなるまでにはかなりの葛藤がありましたが、私にとって大きなきっかけとなったのは、そのころに遭遇したいくつかの「死」だったと思います。

最大の転機になったのは、両親の死です。在日である私にとって、熊本にいる両親は何かがあったときに帰っていくことができる、最終的なよりどころのような存在でしたから、喪失感はあまりにも大きく、私は深く落ちこんでしまいました。しかし、『それから』の代助ではありませんが、それによって、決定的にこの世という下界に落ちることができたのかもしれません。

親友の死も経験しました。学生時代から喜びと苦しみを分かちあってきたかけがえのない友人です。しかし、彼とのつながりを想いめぐらす中から、逆に自分というものを再確認できるところもありました。

むろん、大切な人と別れることは悲しい。へたりこみそうになります。しかし、それを何度か繰り返すうちに、自分の中で何かが変わってきたのです。死というものに対する心構えのようなものができて、「死を引き受けてやろう」といった気持ちさえ持ちました。

もちろん、いつもそんなに「達観」できるわけではありません。やはり、死が恐くないと言えば嘘になります。しかしそれでも、ぼんやりとではあれ、死に対する心構えのようなものができるようになったのです。別の見方をすると、私は他者の死によって、うつ状態から救われたと言えるかもしれません。

究極的に言うと、人間にとって最大の恐怖は「死」です。であるとすれば、「老人力」とは「死を引き受ける力」でもあるでしょうか。

また、こうも思います。かつてのようにピラミッド型の人口構成の社会であれば、老人は少数派であり、「死」は特別なものであり、やはり恐ろしいものだったでしょう。だからこそ、人びとは「あの世へ行けば苦痛から救われる」などと、死への意味づけをいろいろ行い、自分たちが耐えられるものに置き換えていたのです。

しかし、これだけ高齢社会になると、死はありふれたものと化します。特別な意味を持たなくなります。これは虚無的に言っているのではありません。死を軽んじているのでもありません。私は、死を畏怖《いふ》するゆえにいろいろ意味づけするのとはまったく逆に、「覚悟してまるごと引き受けてしまえばよい」と思ったのです。

そもそも、子供に死に対する恐れがないのは、死というものを知らないからです。死からもっとも遠いからです。であるならば、死に対する恐れのない子供に返れということです。

しかし、ここで強く言いたいのは、同じように「恐くない」でも、子供のように「知らないから恐くない」ではなく、知ったうえでの、少なくとも死について考えをめぐらし、心構えのようなものを持ったうえでの「恐くない」であるべきだということです。

そのためには、自分の人生について悩みぬくことが必要だと思います。それを避けていたら、たぶんいつまでたっても恐いでしょう。

おかげで私はいま、いまだかつてないほど開き直っていて、大げさに言うと、「矢でも鉄砲でも持ってこい」という気分になることもあります。

「一身にして二生を経る」

そのようなわけで、いまの私は年を取ることを「衰退」のイメージでとらえていません。そして、「恐いものがない」──そう言いきることはできませんが、それはある意味「自己規制をしない」ということですから、無性にいろいろなことに挑戦してみたくなっているのです。

福沢諭吉は「一身にして二生を経る」という言葉を残しました。私もそれをやってみたい気分になっているのです。自分という一人の人間の中で、二つの人生を生きてみたい。あえて言えば、恐いものがなくて、分別もないのなら、何でもできるのではないかという気分なのです。

同時に、私は「若さに無上の価値を置く」ような考え方を覆してみたいと、天邪鬼《あまのじゃく》のように思うことがあります。

第四章でも言いましたが、日本には「若い」ということを先験的に尊いと思ってしまうような価値観があります。だから、性差別や人種差別などいろいろな差別が問題とされる中で、「年齢差別」だけは当たり前と受けとめられているのです。

いまだに「若者が文化を作る」といったことを言う人がいますが、それは少々的外れではないでしょうか。かつてのように若い人が多数派ならいざ知らず、いまの状況は明らかに違います。高齢者が文化を作らなければいけないのです。と言うより、そう考えていかないと、「二〇一四年に、四人に一人が六十五歳以上になる社会」に未来はなくなります。

岡本太郎は七十歳のときにビデオテープのテレビCMに出て、「芸術は爆発だ」と言いました。彼があの年であの言葉を発せたのも、人生の中でいくつものチャレンジを重ねてきたからこそではないでしょうか。だから、「何でもこい」的な発言ができたのだろうと思います。

恐いものなどないと、あえて自分に言い聞かせている私は、いま、これからやりたいことを夢みたいに、しかし大まじめに考えています。そして、一身にして二生を経る以上は、これまでの人生とはまったく違うものに挑戦したいと思っています。

ここで何をやりたいのかを言ってしまうと、少々あきれられるかもしれませんが、恐いものはないと言ってしまった手前、あえて披露してみたいと思います。

まず、やってみたいのは役者です。変身願望ではないのですが、どうせなら自分のイメージとは正反対な役を演じてみたいと思います。たとえば、戦争中の「七三一部隊」の血も涙もない軍人で、なおかつ家庭ではよき父親をやっているような偽善的悪人。または、中堅的な立場にいる中途半端なファシスト。

ちなみに、芝居の勉強をしたこともなければ、演技の経験もありません。

次に、やってみたいのは映画を作ることです。これにはけっこう具体的なプランがあります。女性ジャーナリストのニム・ウェールズが革命家キム・サンの人生を綴った『アリランの歌（ソング・オブ・アリラン）』を、南北統一の暁に日中韓米ロ共同で制作するのです。シリアスに作ると当たり前になってしまうので、ミュージカル仕立てにします。映画のオープニングシーンは、満州の原野のロングショットで、一人の男が歩いています。彼はアリランの歌を口ずさんでいて、そこにカメラが次第にズーム・アップしていきます。男というのは、もちろん私です。

パラマウントかユニバーサルに持ちかけて、制作費は五十億円といったところでしょうか。こんな夢みたいな話ですから、きっと笑われるでしょうね。でも、もし私にお金があったら、本気で全部つぎこみたいと思っています。歌の経験はありません。踊りの経験もありませんが。

どうでしょうか。この本の担当編集者に話したら、「最強ですね」と笑われ、「悩む力を経て最強になったミュージカルスター」と、からかわれました。

「横着者」でいこう

もっとも実現に近い夢がもう一つあります。それは六十歳までに「大型二輪」の免許を取って、子供のときから憧れていたハーレーダビッドソンに乗ることです。これは私の中では必須項目であり、そのために六十歳までに書くべきものは書き終え、仕事上の責任を果たして、もし私が交通事故で死んでも家族が困らないようにしなければならない——と、真剣に考えているところです。

実現したら、沖縄から北海道まで、ハーレーで日本縦断の旅をします。次に、朝鮮半島に渡って南北縦断の旅をする。そのころに南北統一が実現していれば言うことはありません。

なぜ、ハーレーかと言うと、やはり、私が映画『イージー・ライダー』の世代であることが大きいと思います。私にとっては、普通の型のバイクではダメなのです。どうしてもハーレーでなくてはいけないのです。これは決定事項のようなものです。

自分でも、なぜハーレーにそこまで惹かれるのかずっと考えていたのですが、最近、ようやく答えが出ました。それは、あの「横着さ」です。チョッパースタイルのハーレーには行儀のよさなどどこにもありません。あの体勢で乗っていたら、どうしても横着な態度にならざるをえません。そこがいいのです。

そう思ったら、これは「悩むことを経て、恐いものがなくなる」のと同じことだと気づきました。たぶん最初から横着ではいけないのでしょう。「まじめに考えぬいた果てに、横着になる」ことに意味があるのです。考えぬいて突きぬけろ、ということです。

「Born to be wild」という、ステッペンウルフが歌っている有名な『イージー・ライダー』の主題歌があります。これは「ワイルドでいこう」と訳されていますが、「横着者でいこう」とまさに同じ意味ではないでしょうか。

ひるがえって、漱石とウェーバーのことを考えると、彼らは悩む人であり、まじめな人でした。ウェーバーは漱石に較べると多少豪胆なところがありましたが、それでも精神を病んで病院に入ったと言われるほど命がけで考える人でした。漱石に至っては、笑っている写真が一枚もないほどまじめな文豪でした。厳密に言うと一枚だけ不自然な笑みの写真があるのですが、漱石はそれを一生の不覚としました。そのくらい、漱石には横着さというものがまるきり欠けていました。

でも、漱石は心のどこかで、横着なものに憧れていたのではないかと思うのです。

それは、漱石が親友の正岡子規と自分を比較して言ったことに少しあらわれています。漱石は「子規は天才だが、自分は天才ではなく秀才だ。だから努力しなければならない」と思っていたのです。天才は天性の横着者ですが、秀才は横着者ではありません。漱石の中にはそんなコンプレックスがわだかまっていて、だからこそ頑張って、いつか自分も突きぬけてみたいと思っていたのではないでしょうか。ところが、漱石は横着者になる前に死んでしまいました。

だから、百年後のいま、漱石のやれなかったことを私がやってみる。私も、もちろん天才ではありませんし、とうてい漱石の足許にも及びません。それに、私は何事にもスロースターターです。スタートを切った後もなお、長々と悩みました。それで、二生目の人生では、ちょっと横着者になってみようとしているのです。

アメリカのバイク・クラブ「ヘルズ・エンジェルス」よろしく髑髏《どくろ》のアイコンのついた革ジャンを着て、横着にハーレーにまたがって、横着な態度で金正日の頭でもコツンと叩いてみせる。そのくらいのことを考えたっていいのではないでしょうか。百年前と違って高齢者の攪乱する力が幅を利かせる世の中で、漱石がなりたくてもなれなかったものになってみるのです。

事実、いまの時代はいろいろな意味で突きぬける必要があると思います。政治も経済も知の世界もいっぱいいっぱいになっています。重箱の隅をつついても、小競りあいを続けても、閉塞感は打開されないでしょう。

見まわせば、小悪人とか、小悪党とか、プチナショナリストとか、プチ潔癖症とか、「小」「プチ」がつくものが多すぎます。どうせなら、もっとスケール感のあるもののほうがいいと思うのです。「ちょい悪おやじ」などは、そろそろやめにしたいところです。

若い人には大いに悩んでほしいと思います。そして、悩みつづけて、悩みの果てに突きぬけたら、横着になってほしい。そんな新しい破壊力がないと、いまの日本は変わらないし、未来も明るくない、と思うのです。

【関連年表】

（ゴシック体は歴史的できごとなど。夏目漱石の年齢は数え年）

西暦	和暦	年齢	夏目漱石　年譜	年齢	マックス・ウェーバー　年譜
1864				0歳	プロイセン王国ザクセン州のエルフルト（現在はドイツ・チューリンゲン州州都）に生まれる。父は政治家のマックス、母は敬虔なクリスチャンのヘレーネ。
1867	慶応3年	1歳	江戸牛込馬場下横町（現・新宿区喜久井町）の夏目直克と千枝の五男として生まれる。金之助と命名。生後間もなく里子に出される。父は江戸町奉行支配下の町方名主。**十五代将軍徳川慶喜、大政奉還。**	3歳	**マルクス『資本論』。**
1868	明治元年	2歳	内藤新宿の名主、塩原昌之助の養子となる。**戊辰戦争起こる。江戸城明け渡し。江戸を東京と改称。**		
1869				5歳	ベルリン郊外のシャルロッテンブルクに転居。
1870				6歳	**普仏戦争始まる。**
1871	明治4年	5歳	**廃藩置県。**	7歳	**ドイツ帝国誕生。**
1872	明治5年	6歳	**福沢諭吉『学問のすすめ』。**		
1875	明治8年	9歳	養父母が離婚、その後、塩原家に在籍のまま夏目家に戻る。		
1877	明治10年	11歳	**西南戦争。**		

1879				15歳	イプセン『人形の家』。
1881	明治14年	15歳	母の千枝死去。漢文を学ぶために二松学舎に入学。		
1882	明治15年	16歳	軍人勅諭発布。	18歳	ハイデルベルク大学に入学。法学、歴史、経済学などを受講。
1883	明治16年	17歳	大学予備門を受験するため成立学舎に入学、英語を学ぶ。	19歳	シュトラスブルクで志願兵として一年間兵役につく。 ニーチェ『ツァラトゥストラかく語りき』。 ヤスパース生まれる。
1884	明治17年	18歳	大学予備門（のちに第一高等中学校と改称）予科に入学。	20歳	ベルリン大学に学ぶ。
1885	明治18年	19歳	坪内逍遥『小説神髄』。	21歳	シュトラスブルクで将校訓練を受ける。
1886	明治19年	20歳	成績不良、進級試験も落第し留年。奮起してその後は首席を通す。 帝国大学令公布。	22歳	ゲッティンゲンで司法官試補試験を受ける。以後、二十九歳まで実家に寄寓。父親と反目しつつ過ごす。
1887	明治20年	21歳	二葉亭四迷『浮雲』。		
1888	明治21年	22歳	夏目家に復籍。第一高等中学校予科を卒業、同校本科英文科に入学。同級に山田美妙、上級に尾崎紅葉ら。	24歳	社会政策学会の会員となる。
1889	明治22年	23歳	正岡子規と知り合う。 川上音二郎、「オッペケペー節」を演じる。 大日本帝国憲法発布。	25歳	論文「中世商事会社の歴史」により学位取得。 ヒトラー生まれる。

西暦	和暦	年齢	夏目漱石　年譜	年齢	マックス・ウェーバー　年譜
1890	明治23年	24歳	帝国大学文科大学英文科に入学。 森鷗外『舞姫』。 教育勅語発布。		ビスマルク罷免。
1891	明治24年	25歳	ディクソン教授に依頼されて『方丈記』を英訳する。	27歳	論文「ローマ農業史の国法的・私法的意義」により大学教授資格を取得。
1892	明治25年	26歳	「徴兵」対策のため分家し、形式上、北海道平民となる。高浜虚子と知り合う。		
1893	明治26年	27歳	文科大学卒業、大学院に進む。東京高等師範学校の英語教師となる。	29歳	父方の親類であるマリアンネ・シュニットガーと結婚。
1894	明治27年	28歳	精神衰弱となる。鎌倉円覚寺で参禅。 日清戦争勃発。	30歳	フライブルク大学教授となる。経済学の講義を担当。「キリスト教社会主義とは何か」を発表。 ドレイフュス事件。
1895	明治28年	29歳	愛媛県尋常中学校（のちの松山中学）に赴任。松山に帰ってきた正岡子規と同じ下宿に住む。俳句に熱中する。 樋口一葉『たけくらべ』。 日清講和条約締結。遼東半島を放棄（三国干渉）。		
1896	明治29年	30歳	熊本の第五高等学校に赴任。貴族院書記官長の中根重一の娘、鏡子と結婚。	32歳	国民社会協会の会員となる。

1897	明治30年	31歳	実父の直克死去。尾崎紅葉『金色夜叉』。正岡子規ら「ほととぎす」（のちの「ホトトギス」）創刊。	33歳	ハイデルベルク大学教授となる。父マックス死去。その後、精神疾患を発病する。
1898	明治31年	32歳	妊娠中の鏡子が、ヒステリーを起こして川に身投げする。徳富蘆花『不如帰』。	34歳	病気療養のため、以後、数年間、転地しながら静養する。
1899	明治32年	33歳	長女筆子誕生。	35歳	フロイト『夢判断』。
1900	明治33年	34歳	文部省派遣留学生としてロンドンに留学。クレイグ教授に師事。治安警察法公布。内村鑑三「聖書之研究」創刊。	36歳	義和団事件起こる。
1901	明治34年	35歳	次女恒子誕生。文学研究にいそしみ、『文学論』を著述。孤独、生活苦などから神経衰弱となる。幸徳秋水『廿世紀之怪物帝国主義』。与謝野晶子『みだれ髪』。		
1902	明治35年	36歳	八甲田遭難事件。正岡子規死去。	38歳	ゾンバルト『近代資本主義』。
1903	明治36年	37歳	ロンドンから帰国。東京市本郷区千駄木町（現・文京区向丘）に転居。第一高等学校と東京帝国大学英文科で教鞭をとる。神経衰弱昂じる。三女栄子誕生。	39歳	病気のため正教授の地位を辞し、名誉教授となる。本格的な研究活動を再開。「ロッシャーとクニースおよび歴史学派経済学の論理的諸問題」を発表。

西暦	和暦	年齢	夏目漱石　年譜	年齢	マックス・ウェーバー　年譜
1904	明治37年	38歳	高浜虚子に勧められて『吾輩は猫である』を書く(好評につき、のちに続編も書くことになる)。 日露戦争勃発。 与謝野晶子『君死に給ふことなかれ』。	40歳	セントルイスの国際学術会議に参加するため、アメリカ合衆国に渡る。アメリカ国内を旅行。ゾンバルト、ヤッフェとともに雑誌「社会科学と社会政策のアルヒーフ」の編集を始める。 ロマン・ロラン『ジャン・クリストフ』。
1905	明治38年	39歳	『倫敦塔』『カーライル博物館』『幻影の楯』『琴のそら音』などを発表。四女愛子誕生。 連合艦隊、ロシアのバルチック艦隊を破る。 日露講和条約（ポーツマス条約）締結。 日比谷焼き討ち事件。	41歳	「プロテスタンティズムの倫理と資本主義の精神」を発表。ロシア語を習得し、ロシア革命の経過を分析研究する。社会政策学会でプロイセンの官僚制を批判。 第一次ロシア革命。
1906	明治39年	40歳	『坊っちゃん』『草枕』『二百十日』などを発表。前年から、漱石のもとに、「門人」たちが集うようになり（寺田寅彦、森田草平、小宮豊隆、鈴木三重吉ら）、面会日を木曜日と決める。本郷区西片町（現・文京区西片）に転居。 堺利彦「社会主義研究」創刊。 島崎藤村『破戒』。 南満州鉄道株式会社（満鉄）に関する勅令公布。	42歳	「ロシアにおける市民的民主主義の状態について」「ロシアの外見的立憲制への移行」を発表。「文化科学の論理の領域における批判的研究」を発表。

1907	明治40年	41歳	『野分』などを発表。池辺三山の説得を受け、教職を辞し、朝日新聞社に入社する（以後、多くの作品を朝日新聞に発表）。長男純一誕生。『虞美人草』連載。牛込区（現・新宿区）早稲田南町に転居（漱石山房）。胃病を病む。 片山潜ら「社会新聞」創刊。 田山花袋『蒲団』。	43歳	「ルドルフ・シュタムラーの唯物史観の克服」を発表。
1908	明治41年	42歳	『坑夫』『文鳥』『夢十夜』『三四郎』を連載。次男伸六誕生。 森田草平、平塚らいてう心中未遂事件。	44歳	親類の経営する工場を見学し、労働者について調査・研究、「工業労働の心理物理学について」を発表。
1909	明治42年	43歳	『永日小品』『それから』を連載。満鉄総裁で友人の中村是公に招かれ、満州、朝鮮を旅行。『満韓ところどころ』を連載。 北原白秋『邪宗門』。 伊藤博文、ハルビンにて暗殺される。	45歳	「社会経済学講座」の編集に取りかかる。社会政策学会で「価値自由」論を強調。プロイセン官僚制を批判。
1910	明治43年	44歳	『門』を連載。五女ひな子誕生。胃潰瘍で入院。転地療養先の修善寺で悪化し、一時危篤となる。回復後、『思ひ出す事など』を連載。 武者小路実篤ら「白樺」創刊。 大逆事件。幸徳秋水逮捕。 柳田國男『遠野物語』。	46歳	ドイツ社会学会の第一回大会開催。学会の設立に尽力する。ゲオルゲとの対立を通して、神秘主義についての問題意識を持つ。

西暦	和暦	年齢	夏目漱石　年譜	年齢	マックス・ウェーバー　年譜
1910	明治43年	44歳	韓国併合に関する日韓条約調印。		
1911	明治44年	45歳	文部省より文学博士号授与の話がくるが、辞退する。関西へ講演旅行。明石で『道楽と職業』、和歌山で『現代日本の開化』、堺で『中身と形式』、大阪で『文芸と道徳』。胃潰瘍が再発する。五女ひな子死亡。西田幾多郎『善の研究』。	47歳	「社会経済学講座」の一巻『経済と社会』の執筆開始。「世界宗教の経済倫理」の研究開始。
1912	大正元年	46歳	『彼岸過迄』『行人』を連載。明治天皇の大葬の日、乃木希典殉死。大杉栄ら「近代思想」創刊。	48歳	社会学会の第二回大会。価値判断の科学的取り扱いをめぐる議論が戦わされる。バルカン戦争勃発。
1913				49歳	「理解社会学の若干のカテゴリー」を発表。
1914	大正3年	48歳	『心』を連載。胃潰瘍が再発する。学習院で『私の個人主義』を講演。第一次世界大戦に参戦。	50歳	ハイデルベルクの陸軍病院委員会に勤務。「社会経済学講座」の出版開始。第一次世界大戦勃発。
1915	大正4年	49歳	『硝子戸の中』『道草』を連載。芥川龍之介、久米正雄らが木曜会に参加。中国に二十一ヵ条の要求を提出。	51歳	陸軍病院委員会を辞し、比較宗教社会学の研究に没頭。
1916	大正5年	50歳	『明暗』の連載中、胃潰瘍の悪化により死去。	52歳	潜水艦作戦の強化に反対する。ミュンヘンで「ヨーロッパ列強間のドイツ」を講演。「世界宗教の経済倫理」の「序論」「儒教と道教」「ヒンドゥー教と仏教」などを発

		表。ヴェルダン攻防戦。レーニン『帝国主義論』。
1917	53歳	活発に政治関係の講演や論文発表を行う。「ロシアの外見的民主主義への移行」などを発表。新たに誕生したドイツ祖国党（極右政党）を痛烈に批判する。「世界宗教の経済倫理」の「古代ユダヤ教」、「社会学と経済学における価値自由の意味」を発表。ロシアの十月革命。
1918	54歳	ドイツ民主党の創設に参加する。ウィーン大学の客員教授となる。ミュンヘンで「ドイツの政治的新秩序」を講演。「休戦と講和」「ドイツの将来の国家形態」など、政治問題に関する意見を新聞に多数発表する。ドイツ皇帝退位して、エーベルトが首相となる。人民委員会議成立。ドイツが休戦条約に調印、第一次世界大戦終結。
1919	55歳	ミュンヘンの学生団体の要請を受けて「職業としての学問」「職業としての政治」を

西暦	和暦	年齢	夏目漱石　年譜	年齢	マックス・ウェーバー　年譜
1919				55歳	講演。講和問題の専門委員となり、ベルサイユ講和交渉に出席。ミュンヘン大学教授となり、社会学の講義を行う。母ヘレーネ死去。 スパルタクス団の蜂起。 ベルサイユ条約締結。 ドイツ労働者党結成。
1920				56歳	『宗教社会学論集』全三巻刊行。肺炎のため死去。 ドイツ労働者党、国民社会主義ドイツ労働者党（ナチス）と改称。 ヒトラーの本格的な活動が始まる。
1922					『経済と社会』の第一部刊行。 『学問論集』刊行。
1923					『一般社会経済史要論』刊行。
1924					『社会経済史論集』刊行。

引用文献一覧

『漱石全集』（全二十九巻）　岩波書店　一九九三〜一九九九年
『神経症1』（「フランクル著作集4」）　V・E・フランクル著　宮本忠雄・小田晋共訳　みすず書房　一九六一年
『プロテスタンティズムの倫理と資本主義の精神』　マックス・ヴェーバー著　大塚久雄訳　岩波文庫　一九八九年
『マックス・ウェーバー』　マリアンネ・ウェーバー著　大久保和郎訳　みすず書房　一九六三年
『ファウスト』（第二部）　ゲーテ著　相良守峯訳　岩波文庫　一九五八年
『悪の華』　ボオドレール著　鈴木信太郎訳　岩波文庫　一九六一年

＊本書に登場する作品のタイトル表記は、右に挙げた文献に依拠した。例えば、漱石の『心』については、『こころ』『こゝろ』などの表記もあるが、本書では岩波版の全集に倣い『心』に統一した。また、『漱石全集』『悪の華』の引用については、新字・新かな遣いに改め、ふりがなも適宜付した。

あとがき

殺伐とした世相と希望の見えない社会。今の日本をトータルにひとつの色に喩《たと》えてみると、どんな色になるでしょうか。わたしにはにぶい鉛色しか浮かんできません。もちろん、それはわたしの見る眼が曇っているからで、ことさらそんなに悲観的なイメージを抱く必要はないのかもしれません。

確かに、急速に進む少子高齢化や経済力の衰え、厖大な財政赤字や政治の閉塞状況など、数々のマイナス材料があっても、家族のきずなが強く結ばれ、人と人との支え合いが実感されていれば、孤立感や憂鬱に苛まれることはないでしょう。つまり、人と人とのきずなや関係、コミュニケーションが相互の信頼によって支えられ、それが個々人のアイデンティティに安らぎをもたらしているのならば、経済的な困難や政治的不正が横行していても、未来への希望がかすんでしまうことはないはずです。

だが実際には、孤独感や猜疑《さいぎ》心が募り、夢や希望は萎《しぼ》んでいくばかりのようです。「こんな日本に誰がした」「戦後の志は失われたのか、こんなはずじゃなかった」。中年に達した大人たちの偽らざる本音ではないでしょうか。

多くの大人が、映画『ＡＬＷＡＹＳ　三丁目の夕日』のような人情味溢れ、活気に満ちていた高度成長期の日本に対して郷愁を抱きますが、ある意味でそれは大人たちの現実逃避のロマンティズムにすぎません。未来の時間がたっぷりと残されている次世代の人たちに、過去への郷愁に浸っていられる余裕はありません。いや、そもそも、右肩上がりの成長など一度も経験したことのない彼らにとって、回帰すべき「失われた日本」は初めから存在していないのです。

人を消耗品のように使いつくす過酷な競争システム。やせ細っていくセーフティネット。「勝ち組」と「負け組」との激しい格差。若者たちにのしかかる現実は、余りにも酷薄です。ですから、残酷で薄情な扱い受ける彼ら彼女らに気の利いたふうな精神論をぶつ気にはなれません。そんなことをするくらいなら、生き延びていくためのノウ・ハウを教えるべきです。とくに、「プレカリアート（不安定労働者や失業者）」の境遇を生きなければならない立場の人々には緊急の自己防衛策を教えるべきです。

ただ、それでも、悩みはつきないはずです。「人間的な」悩みを、「人間的に」悩むことが、生きていることの証《あかし》なのですから。その意味で本書は、〝老いて最強をめざす〟中高年だけでなく、今を生きる若者たちにも何がしかの役に立てると確信しています。

本書は、何よりも渥美裕子さんのお力添えがなかったら、日の目を見ることはなかったはずです。とくに漱石の作品の解釈をめぐって渥美さんには助けられました。そしていつものことながら、集英社新書編集部の落合勝人さんには一方ならずお世話になりました。感謝の気持ちでいっぱいです。

二〇〇八年四月六日

姜尚中

姜尚中（カン サンジュン）

一九五〇年生まれ。東京大学名誉教授。専攻は政治学・政治思想史。著書に、一〇〇万部超のベストセラー『悩む力』とその続編『続・悩む力』のほか、『マックス・ウェーバーと近代』『オリエンタリズムの彼方へ』『ナショナリズム』『日朝関係の克服』『在日』『姜尚中の政治学入門』『リーダーは半歩前を歩け』『あなたは誰？ 私はここにいる』『心の力』『悪の力』など。小説作品に『母―オモニ―』『心』がある。

集英社新書〇四四四C

悩《なや》む力《ちから》

二〇〇八年五月二二日 第一刷発行
二〇二四年八月 六 日 第三四刷発行

著者……姜尚中《カンサンジュン》
発行者……樋口尚也
発行所……株式会社集英社
東京都千代田区一ツ橋二-五-一〇 郵便番号一〇一-八〇五〇
電話 〇三-三二三〇-六三九一（編集部）
〇三-三二三〇-六〇八〇（読者係）
〇三-三二三〇-六三九三（販売部）書店専用

装幀……原 研哉
印刷所……大日本印刷株式会社 TOPPAN株式会社
製本所……加藤製本株式会社

定価はカバーに表示してあります。

ISBN 978-4-08-720444-5 C0236
Printed in Japan

集英社新書　姜尚中の既刊本

『ナショナリズムの克服』姜尚中／森巣博

在日の立場から「日本」について鋭い批判と分析を続けてきた政治学者と、オーストラリア在住の博奕打ち兼業作家という異色コンビによる、ナショナリズム理解の最良の入門書。

『増補版 日朝関係の克服――最後の冷戦地帯と六者協議』姜尚中

日朝関係の未来を考えるための入門書。第二次大戦後の朝鮮半島の歴史を概観し、日米安保体制に代わる平和秩序のモデルを提示。六者協議の枠組みを提唱した予言的な一冊。

『デモクラシーの冒険』姜尚中／テッサ・モーリス-スズキ

なぜ1100万人の反戦運動は、米国のイラク侵略を止められなかったのか？　日豪屈指の知性が、強大化するグローバル権力への抵抗を模索した、21世紀のデモクラシー論。

『姜尚中の政治学入門』姜尚中

アメリカ単独行動主義以後、政治を考える上で外せない7つのキーワードを平易に解説。歴史認識問題に揺れるアジア諸国との共生の道を指し示した、著者初の政治学入門書。

『ニッポン・サバイバル――不確かな時代を生き抜く10のヒント』姜尚中

「お金」「自由」「仕事」「友人関係」「メディア」「治世」「反日」「紛争」「平和」「幸せ」など、幅広い年齢層からの10の質問に答えてくれた。現代日本で生き抜くための方法論。